DE REPENTE, ACORDEI

RODOLFO MONTOSA

DE REPENTE, ACORDEI

UMA HISTÓRIA DE CONSOLO, ESPERANÇA E FÉ

Publicado por Editora Mundo Cristão

Os textos das referências bíblicas foram extraídos da *Nova Versão Internacional* (NVI), da Biblica Inc., salvo indicação específica. Eventuais destaques nos textos bíblicos e citações em geral referem-se a grifos do autor.

CIP-Brasil. Catalogação-na-Publicação
Sindicato Nacional dos Editores de Livros, RJ

M796d

Montosa, Rodolfo
De repente, acordei : uma história de consolo, esperança e fé / Rodolfo Montosa. — 1. ed. — São Paulo: Mundo Cristão, 2016.
128 p. ; 21 cm.

1. Espiritualidade. 2. Vida cristã. I. Título.

16-33008 CDD: 248.4
CDU: 27-584

Categoria: Ficção

Publicado no Brasil com todos os direitos reservados por:
Editora Mundo Cristão
Rua Antônio Carlos Tacconi, 79, São Paulo, SP, Brasil, CEP 04810-020
Telefone: (11) 2127-4147
www.mundocristao.com.br

1ª edição: julho de 2016

Aos que estão na desafiadora luta pela sobrevivência e aos enlutados, para que usufruam do consolo do Eterno ao pensar sobre os céus.

Sumário

Agradecimentos

Aos meus avós, Francisco, Candelária, Benedito e Umbelina; ao meu sogro, Waltermino; ao meu irmão, Rodney, e a tantos outros queridos que já morreram no Senhor e me ensinaram a amar a vida e a não temer a morte. Eles me ensinaram a não dizer "adeus", mas "até breve".

À minha amada esposa, Cibele, companheira de todas as horas há mais de três décadas, que tem sustentado e nutrido meu coração com carinho e amizade, especialmente pela experiência que tivemos juntos em determinado momento em que escrevia essas páginas, quando fomos invadidos por um choro de expectativa pelo profundo desejo de estar com o Senhor no paraíso.

Ao Pai, que já preparou lugar nos céus; ao Filho, Jesus Cristo, que realizou toda a obra para me levar para lá; e ao Espírito Santo, que habita em meu coração e me faz enxergar a vida na esperança da eternidade.

Apresentação

De repente, acordei é uma obra de ficção, que toma como ponto de partida a Bíblia para dar asas à imaginação. É, portanto, um livro imaginativo. Seu conteúdo não deve ser considerado a verdade absoluta dos fatos, nem tem essa pretensão, mas, sim, é fruto da expectativa de um autor que anseia pelas maravilhas da eternidade e que procura oferecer palavras de consolo e paz para os leitores. Toda a narrativa usa de liberdade poética para supor como seria a realidade celestial, com base em relatos bíblicos. É sempre delicado especular acerca de aspectos da fé cristã que não estão claramente expostos na Bíblia; por isso, é com temor, tremor e responsabilidade que Rodolfo Montosa criou a parábola que é o texto desta obra. E é como uma parábola que você deve ler as páginas a seguir.

Em momento algum o autor deseja imaginar como é a realidade do céu fora do que dizem as Escrituras. Este livro não traz uma "nova revelação", muito menos espera que os leitores creiam que o céu é exatamente como apresentado aqui. A proposta de *De repente, acordei* é partir da mensagem principal da Bíblia para sonhar com as maravilhas da glória eterna. Permita-se sonhar — e que seus sonhos tenham sempre e de forma inegociável apenas e tão somente a Bíblia sagrada como a revelação perfeita de como será a eternidade ao lado do Senhor. Desta obra, o mais importante é a mensagem que ela passa: que a eternidade não é algo a ser temido, mas uma maravilhosa e consoladora realidade a ser vivida por todos os que chegam, cansados, mas vitoriosos, ao fim da jornada.

O Editor

Prefácio

A prática pastoral traz consigo uma riqueza indizível de experiências. No mesmo dia em que se contagia com a alegria de um pai com seu filho recém-nascido nos braços, pode-se vivenciar o luto de uma mãe que presenciou a filha morrer no leito do hospital. Observa-se olhos acesos pela chama da vida, quando, logo mais, vê-se olhos perdidos e apagados pela desilusão e desesperança. Ora estende-se as mãos para cima, a fim de aplaudir a vitória tão esperada, ora as abaixamos para levantar o abatido. Gente para cima, gente para baixo. Gente de todo tipo, em diversos estados de alma.

É óbvio que este livro é uma ficção. Quero deixar bem claro que não se trata de uma revelação espiritual, não fui arrebatado ao terceiro céu nem estive nos lugares que passarei a descrever. Trata-se de uma ficção espiritual, embora eu tenha buscado inspiração nas páginas da Bíblia. Como toda ficção, permiti-me a criatividade. Peço que não a interprete como especulação, pois procurei não ferir a boa doutrina cristã-apostólica, nem que seja tão rigoroso quanto às questões que nem os melhores estudiosos da teologia chegaram a um consenso. Você encontrará algumas imprecisões cronológicas, que se justificam pelo propósito de se aproveitar do texto bíblico algumas descrições dos céus, mesmo que em um futuro após a segunda vinda de Cristo. De qualquer forma, ao descrever as cenas que retratam o céu, por instantes compreendi um pouco mais a esperança do que está muito além do que vemos hoje, conforme afirmação do apóstolo: "... para mim o viver é Cristo e o morrer é lucro" (Fp 1.21).

O Autor

Acordei

De repente, acordei. Ainda sem abrir os olhos, percebi que não tinha mais dores no corpo. Aliás, senti um tremendo bem-estar. Respirei fundo. Aromas e odores agradáveis. Não soube reconhecer, mas era um cheiro misto de flores, especiarias e perfumes exóticos. A intensidade era tal que parecia inspirar por todos os poros da pele. Estranhamente gostoso. Sons diversos entravam com suavidade em meus ouvidos; alguns graves, em percussão, alinhavam-se ao compasso do batimento do coração. Outros, médios, harmonizavam uma dança no tímpano. Poucos agudos penetravam uma nova melodia na alma. Timbres que se misturavam, como um coral formado por folhas das árvores, mamíferos, aves, ventos, sons de águas. Em meio ao conjunto, consegui discernir a individualidade. Cada qual a seu tempo, como se estivessem sendo regidos por um maestro. Completo, denso, suave. Eu não sabia se tinha passado uma fração de segundos ou uma vida inteira. Estranho. Parece que o relógio do tempo havia sido desligado.

Devagar, abri meus olhos. A luz era muito intensa, mas não incomodava, nem ardia ou ofuscava. Pensei onde estariam meus óculos. Levei minhas mãos ao rosto, mas não estavam lá. Focalizei a textura daquela relva onde estava deitado. Parece que minha visão tinha ganhado a precisão de um microscópio. Enxerguei os detalhes da textura da superfície que formavam desenhos milimetricamente proporcionais. As cores estavam em alta resolução, absolutamente harmonizadas em relação à gradação e à diversidade. De imediato, consegui reajustar o ângulo e enfoquei a planta como um todo. Consegui fazer isso diversas vezes e com velocidade, ora concentrando no micro, ora no macro. Meus olhos eram como um portal que recebia toda a alegria revigorante daquelas formas, texturas e cores. Nunca imaginei que teria a capacidade de controlar de forma tão precisa a minha visão. Ao olhar um pouco mais adiante, notei um imenso jardim que despontava no horizonte. Ele era imenso, de se perder de vista, ou não. Curiosamente, eu conseguia aproximar e trazer a imagem mais distante do meu cérebro, como se estivesse usando uma luneta poderosa. Estou lá, mais uma vez, brincando de ir e vir com meu foco, sem problemas para enxergar longe ou perto. Mas isso tudo sem óculos nem binóculos?

Comecei a me levantar. Fui dominado por uma sensação de completo bem-estar durante o movimento; tudo estranhamente gostoso. "Se quiser dar pirueta, cambalhota ou plantar bananeira, é só começar", penso. Sem saber de nada, eu sabia de tudo o que poderia fazer. Parecia até ser possível saltar uma montanha de tanta energia que sentia dentro de mim. Senti o controle absoluto sobre meus músculos, articulações e juntas. Aliás, meus músculos estavam tonificados, rígidos, fortes. Mais ainda, parecia que até podia voar. Muito engraçado aquilo tudo. Meus pensamentos aceleraram: "Será que consigo respirar embaixo d'água? Será que pulo de cabeça do topo daquela cachoeira e mergulho nela?". Perguntas que jamais achei que faria invadiram minha mente. Novas possibilidades. Novas potencialidades. Tudo novo se fez. Isso mesmo, tudo novo.

Em pé, resolvi encostar minhas mãos no chão. Sem dobrar as pernas, coloquei a planta das mãos embaixo da planta dos pés. Antes elas chegavam pouco abaixo do joelho. Senti-me elástico, flexível; podia rodar, girar e dançar. Aliás, que vontade de dançar! E que música alegre! Sem limites, medos ou preocupações, fui tomado por um impulso que me fez pular, saltar, expressar júbilo e alegria como nunca imaginei. Difícil acreditar que era eu ali. Tudo em volta alegrava-se em perfeita coreografia. Eu estava em cena, sabendo o que fazer, no momento exato. Parecia tudo ensaiado e precisamente sincronizado; sem falhas ou hiatos, tudo virava música. Tudo o que havia em mim bendizia o dom e o doador da vida.

Meus olhos nunca tinham visto beleza como aquela que me envolvia, meus ouvidos jamais tinham percebido os sons refinados que me cercavam, assim como eu jamais tinha imaginado aquilo que estava vivendo. De qualquer forma, parecia que tudo havia sido preparado para mim.

Não via ninguém, mas tinha a nítida impressão de que todos me viam. Não tinha qualquer sentimento de vergonha, pois não havia nada a esconder, omitir, nem a quem enganar. Era outra dimensão: tudo fazia sentido, o caos acabara e a desordem não existia mais. Estava em pé! "Mas... eu não estava no leito da UTI agora mesmo?" Sem resposta para essa pergunta, o que importava, então, é que, de repente, acordei.

Primeiro contato

Eu estava muito absorvido por tudo ao redor quando, subitamente, ouvi uma doce e firme voz me chamar. Chamou-me pelo nome com intimidade, como alguém que me conhece muito bem. Era uma voz amorosa, mas cheia de autoridade. Embora estivesse ouvindo-a pela primeira vez, por dentro eu a conhecia como se a tivesse ouvido desde o ventre de minha mãe. Ao mesmo tempo, senti a temperatura do corpo aumentar pela emoção e fui refrescado por uma brisa suave que a acompanhava. Meu organismo reagiu por completo àquele timbre. Arrepios à flor da pele, adrenalina circulando, batimento cardíaco acelerado. Sem controle algum, tudo o que há em mim encurvou-se. Dobrei-me e apoiei o rosto no chão. Estava seguro de tudo, mas cheio de temor. Olhos cerrados, mãos em posição de entrega, ouvidos abertos. Tudo em mim desejava ouvir o que viria a seguir. Sabia que seriam palavras cheias de vida, poderosas, capazes de penetrar e produzir efeitos extraordinários. Tudo em mim vivia uma grande expectativa.

— Olhe para mim — continuou a voz.

Fiquei um pouco confuso. Desejei voltar toda a minha atenção àquele que me chamava; mas, ao mesmo tempo, todo o meu corpo apreciava aquela postura de reverência. Havia pouco pensava que tinha sido feito para pular, dançar ou até voar, mas, de repente, fez todo sentido ficar daquele jeito, sem me mover, quase sem respirar, simplesmente ajoelhado e em profundo respeito e veneração diante de quem me falava.

— Olhe para mim — repetiu com carinho. Simplesmente irresistível. Tive de agir, ou melhor, reagir.

Em câmera lenta, ao mesmo tempo em que abria os olhos, olhei para cima e virei para ver quem falava comigo. Vi sete candelabros de ouro. No meio deles, havia um ser parecido com um homem, vestindo uma roupa que chegava até os pés e com uma faixa de ouro em volta do peito. Seus cabelos eram brancos como lã ou como neve, e os olhos reluziam feito fogo. Os pés brilhavam como o bronze refinado na fornalha e depois polido, e a voz parecia o barulho de uma grande cachoeira. Na mão direita, ele segurava sete estrelas, e da boca saía uma espada afiada dos dois lados. O rosto resplandecia como o sol do meio-dia. Naquele instante, ele apoiou a mão direita em mim e disse:

— Não tenha medo. Eu sou o Alfa e o Ômega, o Primeiro e o Último. Eu sou aquele que vive. Estive morto, mas agora estou vivo para todo o sempre. Tenho autoridade sobre a morte e sobre o mundo dos mortos.

Levantou-me gentilmente. Meus olhos estavam fixos, eu nem sequer piscava. Quanta beleza! Quanta pureza! A expressão espontânea que me veio aos lábios foi:

— Santo! Santo! Santo!

Aquelas palavras ecoavam em todo o lugar. Percebi que havia ali um trono com alguém sentado nele. O rosto daquele ser brilhava feito pedras de jaspe e sárdio, e em volta do trono havia um arco-íris que cintilava como uma esmeralda. Ao redor do assento havia outros 24 tronos, e em cada um deles havia um líder sentado, todos vestidos de branco e com coroas de ouro na cabeça. Do assento elevado saíam relâmpagos, estrondos e trovões e diante dele havia sete tochas acesas, bem como algo parecido com um mar de vidro, claro como cristal. Em volta do trono, em cada um dos seus lados, estavam quatro seres vivos, cobertos de olhos, na frente e atrás. O primeiro desses seres parecia um leão. O segundo, um touro. O terceiro tinha o rosto parecido com o de um ser humano, e o quarto parecia uma águia voando. Cada um desses quatro seres vivos tinha seis asas, que estavam cobertas de olhos nos dois lados. Não paravam de cantar assim:

— Santo, santo, santo é o Senhor Deus, o Todo-poderoso, que era, que é e que há de vir.

Eu cantava junto. Conhecia a melodia. Abriam-se vozes em escala cromática. Não, eram mais do que sete notas com seus acidentes. O coro não tinha limites nos sons emitidos. Cada vez que os quatro seres vivos cantavam hinos de glória, honra e agradecimento ao que estava sentado no trono e que vive para todo o sempre, os 24 líderes caíam de joelhos diante dele e o adoravam. Atiravam as coroas diante do trono e diziam:

— Senhor nosso e nosso Deus! Tu és digno de receber glória, honra e poder, pois criaste todas as coisas; por tua vontade elas foram criadas e existem.

Tudo aquilo era simplesmente extasiante. Eu estava absorto, enlevado, maravilhado e em estado de contemplação.

Algumas perguntas

Minha mente disparou. Tudo ao redor trazia um misto de *déjà vu* e algo totalmente novo. Voltei-me a ele, chamando-o de modo espontâneo:

— Mestre, como já conhecia a sua voz?

Percebi o sorriso de satisfação dele. Aliás, um lindo sorriso. Com mansidão, ele respondeu:

— Minhas ovelhas conhecem a minha voz.

Perguntei-lhe na sequência:

— Mas não é só sua voz; tenho a convicção de que sempre o conheci.

Mais uma vez aquele lindo sorriso.

— Da mesma maneira como eu o conheço, decidi mostrar-me como sou a você. A partir de agora, não existe mais qualquer limite para você me conhecer, seja de espaço, seja de compreensão, seja de tempo. As barreiras foram tiradas. Começa agora uma nova dimensão na eternidade.

Cada palavra daquela penetrava as profundezas do meu espírito. Seu olhar perscrutava o íntimo do meu ser. Definitivamente, não havia nada que pudesse ficar oculto a ele. Da mesma maneira, ele se revelava por inteiro a mim. Sinceridade absoluta, transparência total. Sentia-me amado de modo tão intenso que ninguém ou nada poderia ter me separado dele desde a eternidade até a eternidade. Nossos corações estavam fortemente ligados, como se estivessem presos por correntes fortes e impossíveis de ser quebradas. Não era amor à primeira vista. Era amor antes de eu nem sequer enxergar. Era amor eterno.

— Mas o que aconteceu com meu corpo? Não sinto dor ou cansaço — disse-lhe, fazendo movimentos enérgicos. Pacientemente, ele me explicou:

— Você morreu, mas aqui está por causa do meu poder. Recebeu um corpo espiritual, incorruptível, sem mácula nem mancha, imortal. Absolutamente glorificado. Foi liberto de cansaço, ansiedades e temores.

Tudo aquilo fazia muito sentido. Eu entendia cada explicação como verdade absoluta. Indaguei:

— Mas e a morte?

Ele me fez lembrar da Palavra escrita, agora sem falar. Aquele olhar comunicava, os gestos falavam alto. Mesmo sem dizer uma palavra sequer, passei a compreender mais profundamente que a morte havia sido vencida por completo, tragada pela vitória. Eu podia compreender seus pensamentos da mesma forma que ele compreendia os meus.

Eu pensava sobre tudo o que acontecia ao redor. Não podia sentir a menor tristeza ou dor na alma. Algo tinha acontecido em meu universo emocional. Ele me interrompeu, dizendo:

— Meu querido, você não mais será atingido por qualquer sentimento corruptível. Eu pessoalmente enxuguei dos seus olhos todas as lágrimas. Não haverá mais morte, nem tristeza, nem choro, nem dor. As coisas velhas já passaram. Faço novas todas as coisas.

Era isso mesmo que tinha acontecido. Eu estava ali, diante do Cordeiro, mas era um eu totalmente novo, puro, parecido com ele.

Olhei ao redor. Estava em uma montanha grande e muito alta. Avistei um local brilhante, com gente bonita, vestida com roupas coloridas, feliz, caminhando em meio àquela luz;

eram pessoas de todas as nações. Não havia nada que fosse impuro, nem ninguém que fizesse coisas vergonhosas ou que contasse mentiras entre aquele povo maravilhoso. Todos ali tinham algo em comum: seus nomes estavam escritos no livro da vida, que pertence ao Cordeiro.

— Vamos dar uma volta — convidou-me.

— Com certeza — respondi, cheio de entusiasmo e expectativa.

Foi por amor

Começamos o passeio. O Senhor levou-me ao meio daquela gente. À medida que caminhávamos, todos me saudavam, de maneira muito simpática, chamando-me pelo nome. Nunca pensei que eu fosse tão popular! Mas era mais que isso: ao me olharem, as pessoas demonstravam que me reconheciam. Era aquele olhar de alguém que o conhece desde pequeno e que parece que está com muita saudade e vontade de estar junto. Olhares de ternura, carinho, afeto e afinidade; todos muito amigáveis. Minha vontade era parar um a um e passar muito tempo ouvindo suas histórias e compartilhando coisas do coração. Eu precisaria de uma eternidade só para começar. Meu pensamento foi interrompido:

— Você já tem!

Será que entendi bem? Não resisti:

— Tenho o quê?

Novamente, o sorriso:

— A eternidade! Não é isso que você estava pensando? Que precisaria de uma eternidade só para começar um relacionamento agradável com cada um desses santos aqui? Pois você já tem essa eternidade!

Não havia crachás, mas eu sabia o nome de cada um deles. Não havia biografias, mas eu conhecia suas histórias. Rostos tão diferentes uns dos outros, mas tão familiares. Olhos puxados, redondos, claros, escuros, de todo tipo. Gente de todas as cores, raças e etnias. Gente de todos os tempos falando o mesmo idioma. Todos se entendiam mutuamente, a barreira das línguas havia caído; a barreira do desentendimento fora derrubada. Que ambiente agradável!

Encontrei grandes nomes. Conversei com personagens que sempre admirei na Bíblia. Ouvi suas histórias. Os episódios tão presentes no imaginário tornavam-se muito reais diante de cada um. Ouvir os detalhes da arca e dos bichos pela boca do próprio Noé foi algo especial. Demos muita risada juntos. Todos tão generosos, empolgados e vibrantes, cultivavam respeito e admiração uns pelos outros em níveis elevados. Havia um senso comum, por parte de cada um, de que o outro era superior.

De repente, tive um prazer inesperado. Encontrei alguém muito conhecido na História. Olhei e o reconheci. Eu estava diante do ladrão da cruz, um dos que morreram ao lado de Jesus no Gólgota. Seu olhar voltou-se para mim e para o Mestre ao meu lado, alternadamente, diversas vezes. Era calmo, sereno, tranquilo, algo que eu julgava incompatível com o perfil de um criminoso. Transmitia paz para mim e gratidão àquele que havia morrido ao seu lado. Depois de alguns poucos segundos em silêncio, como se estivesse organizando as ideias e pedindo autorização para prosseguir, com gentileza começou a falar:

— Minha história não deixa a menor dúvida de que não fiz nada para merecer estar aqui. Ao contrário, toda a malignidade que vivi e produzi eram motivo suficiente para estar muito longe. Fui preso por meu crime e mereci a sentença de morte, junto ao meu companheiro. Antes mesmo de ser pendurado no madeiro, ainda preso, fui reconhecido por um dos guardas. Acontece que havia maltratado a esposa dele. Coisa feia. Você nem pode imaginar o que eles fizeram comigo. Mas sabia que merecia tudo o que estava sofrendo e muito mais.

Meus atos nasceram de minha natureza má e corrupta e mereceram aquele castigo de alguns dias. Sabia, em minha mente, que aquele inferno que vivera nos últimos dias era apenas o início de um tormento que nunca mais acabaria. Uma aflição eterna estava apenas começando.

À medida que o homem falava, seus olhos brilhavam mais. Apesar da triste história — que abrevio bastante aqui –, não havia mais pesar, tristeza, sofrimento, nem qualquer tipo de agonia. É claro que não havia prazer naquelas palavras todas, mas elas refletiam profundo prazer em algo que ainda estaria por vir no relato. A conversa se estendeu de maneira muito aprazível. Aliás, não tínhamos pressa, não havia sentimento de urgência, não estávamos atrasados para nada. Vivíamos intensamente aquela conversa, aquela troca. A capacidade que aquele homem tinha de articular as palavras era impressionante e impactante. Os gestos suaves acompanhavam com perfeita sincronia cada episódio relatado. Aquilo não era um teatro, nem eu estava diante de um ator, mas de uma pessoa real que tinha uma história real e que falava com o coração. Ele continuou:

— Meus olhos estavam muito inchados, de tanto que apanhei. Meus ouvidos zuniam por causa dos chutes que levei na cabeça. Em meio à turbulência dos últimos momentos de vida, ouvi alguém ao meu lado, pendurado também no madeiro, esfolado pelas chibatadas, sendo provocado por aquele povo rebelde. Com muita dificuldade consegui concentrar-me em suas palavras. Tudo parecia surreal, pois ele, com seus olhos voltados para o céu, dizia: "Pai, perdoa-lhes, pois não sabem o que estão fazendo". Aquelas palavras penetraram minha alma. Comecei a pensar em como Deus poderia ser chamado de "Pai"? Somente por um filho. Isso mesmo, estava ali o filho de Deus. Como Deus poderia perdoar aquela maldade toda que estavam fazendo com ele? Apenas por amor. Profundo e louco amor. Aquelas autoridades zombavam e escarneciam dele, e ele ainda pedia misericórdia a Deus? Fiquei bastante confuso. Tinha algo muito fora de ordem. Meu colega entrou na deles. Começou a provocar Jesus, dizendo-lhe que se salvasse e que nos tirasse dali. Blasfemava em voz alta. O tom sarcástico e sádico destilava desprezo e repugnância. Tudo em volta cheirava a intensa rejeição a quem não tinha feito mal algum. Fiquei revoltado com todos e comigo mesmo. Eu merecia tudo e muito mais que estava sofrendo, mas aquele ao meu lado era um santo.

A narrativa daquele homem ganhava força e atraía uma multidão para ouvi-lo. Todos, em silêncio profundo, nem piscavam, tamanha atenção. Estavam diante de um homem que presenciou o momento mais importante da História. Aquele que falava tinha a autoridade de quem vivenciou. Enquanto ouvia, voltei-me ao lado e percebi que todos acompanhavam o relato como se fossem o próprio narrador. Curioso. Aquela não era a história deles, mas todos que ali estavam se identificavam tanto que parecia ser o relato de suas vidas.

— "Se você é o rei dos judeus, salve-se a si mesmo", meu amigo continuou. Naquela hora, explodi, dizendo: "Você não teme a Deus, nem estando sob a mesma sentença? Fomos punidos com justiça, porque estamos recebendo o que os nossos atos merecem. Mas este homem não cometeu nenhum mal". Voltei-me para Jesus. O semblante dele refletia paz, mesmo tão agredido. Chorei amargamente, pois percebi que ele estava ali de modo voluntário. Ele não merecia, nem precisava. Tive total consciência da minha natureza má, corrupta, pecaminosa e desprezível. Clamei que Jesus se lembrasse de mim quando eu entrasse em seu reino. Dessa maneira, sem saber muito bem, estava clamando pela sua misericórdia. De uma maneira amorosa, ele me prometeu que ainda naquele dia estaria com ele no paraíso. E, por isso, estou aqui!

Naquele instante, houve um barulho estrondoso no ar, como que rojões e fogos. Os céus ficaram coloridos. Miríades de anjos formaram um coro espetacular. Uma música vibrante e contagiante começou a tocar. Todos passaram a dançar com muita energia, olhando uns para os outros e se convidando para aquela celebração. Comecei a saltar de alegria e um novo cântico veio aos meus lábios. As palavras eram de gratidão e muita satisfação, porque percebíamos com maior clareza o amor e a graça de Deus. Um convicto pecador havia sido alcançado de maneira espontânea e maravilhosa. Após um bom tempo de grande festa, o homem continuou:

— Meus olhos viram meu Salvador ao meu lado, na cruz. O castigo que me trouxe a paz estava sobre ele. Soube, naquele instante, que ele estava sofrendo por causa do meu pecado, estava sendo castigado por causa da minha maldade.

Nesse momento, ele aproximou-se de Jesus e inclinou-se para beijar seus pés. Jesus o levantou e o abraçou por um bom tempo. Voltou-se a ele e disse:

— Fiz o que fiz por amor. Você e todos aqui são o fruto do meu penoso trabalho. Por causa dessa alegria que me estava proposta é que suportei a cruz. Agora você é meu amigo e de todos aqui.

Aplausos irromperam. Toda a multidão levantava as mãos e cantava com a voz forte:

— Digno é o Cordeiro que foi morto de receber poder, riqueza, sabedoria, força, honra, glória e louvor!

Falei àquele homem:

— Sua história é maravilhosa. Aliás, esses poucos minutos da sua história são maravilhosos — começamos a rir. Ele emendou: — Isso mesmo, a parte maravilhosa da minha história acontece quando Jesus entra nela e me convida para entrar na história dele. Sabe, meu relato deixou bastante evidente que não é o que fazemos que nos traz aqui. Só estamos aqui por aquilo que Jesus fez.

Aquelas palavras eram como o mel: doces ao paladar e boas para a saúde. É claro que o ladrão da cruz só estava lá por causa da graça de Jesus. Ele não teve tempo de fazer nada. Aliás, sua convicção da graça era superior à de muita gente que, por fazer alguma coisa boa, acha que merece a recompensa do céu. Engana-se quem pensa que se chega ao céu por mérito próprio! De fato, todos nos tornamos impuros, todas as nossas boas ações são como trapos sujos.

Somos como folhas secas; e os nossos pecados, como uma ventania, nos carregam para longe. Fui surpreendido pelo apóstolo Paulo, que veio me abraçar e disse:

— De fato, todos éramos como ele e vivíamos de acordo com a nossa natureza humana, fazendo o que o corpo e a mente queriam. Assim, porque somos seres humanos como os outros, nós também estávamos destinados a sofrer o castigo. Mas a misericórdia de Deus é muito grande, e o seu amor por nós é tanto que, quando estávamos espiritualmente mortos por causa da nossa desobediência, ele nos trouxe para a vida que temos em união com Cristo. Pela graça de Deus você foi salvo. Por estarmos unidos com Cristo Jesus, Deus nos ressuscitou com ele para reinarmos junto dele no mundo celestial e fez isso para mostrar, em todos os tempos do futuro, a imensa grandeza da sua graça, que é nossa por meio do amor que ele nos mostrou por intermédio de Cristo Jesus. Pois pela graça de Deus e por meio da fé, você foi salvo. Isso não vem de você, mas é um presente dado por Deus. A salvação não é o resultado do seu esforço. Portanto, ninguém pode se orgulhar de tê-la por si mesmo. Pois foi Deus quem nos fez do modo como somos agora. Em nossa união com Cristo Jesus, ele nos criou para que fizéssemos as boas obras que ele já havia preparado para nós.

Antes, eu pensava que iria para o céu por ter feito boas obras ou por *eu* ter aceitado Jesus. A partir daquele momento, ficava mais claro que foi pela obra de Cristo e porque ele me aceitou. Foi por amor.

E o fulano?

Alegria. Essa era a marca estampada por todo lugar em que passávamos. Eu estava numa nova realidade de vida. Havia esquecido de qualquer tipo de pesar ou amargura do passado. Eu e todos ali estávamos felizes com tudo aquilo que o Criador trazia à existência. Ele nos enchia de felicidade e, sem desejar ser somente um provedor, ficava contente em nossa companhia. Não havia o menor barulho de choro nem gritos de aflição. Nada de mau, nenhum perigo.

Depois de conversar com muitas pessoas, lembrei-me de uma que não tinha visto ainda. Voltei-me para Jesus e perguntei-lhe:

— E o fulano, onde está?

Os olhos serenos do Senhor fixaram-se em mim. Percebi logo que algo havia acontecido. Ainda diante do silêncio, cogitava comigo mesmo como aquela pessoa a que me referia era considerada por muitos um servo poderoso de Deus. Ele tinha feito muitos milagres e se tornado o canal de salvação para muita gente. Tornou-se tão conhecido que as pessoas se apressavam para vê-lo. Bastava o povo saber que ele estaria na cidade para os estádios ficarem cheios. No auge do ministério, chegou a aparecer na televisão em horários nobres e fez muito sucesso. Com certeza ele estava em algum lugar por ali. Aliás, pelo tamanho do trabalho que teve na terra, talvez até tivesse um lugar especial no céu. Com tranquilidade, Jesus passou a me ensinar algo profundo.

— Muitos do meu povo aguardavam a chegada do Messias para livramento e o estabelecimento do reino dos céus. Ainda recém-nascido, fui levado ao templo. O velho Simeão estava lá e logo me reconheceu pela revelação do Espírito Santo. Ele me tomou nos braços e, dentre muitas belas palavras, disse que eu estava destinado a causar queda e soerguimento de muitos, pois o pensamento das pessoas seria revelado para mim. De fato, tive sempre o olhar do oculto e escondido, das intenções não verbalizadas, das motivações escondidas.

Fomos interrompidos pelo simpático e envolvente Samuel. Sim, aquele sacerdote e profeta a que dois livros na Bíblia se referem. Ele interveio:

— Sempre foi assim. Quando fui ungir o novo rei para Israel, olhei para os filhos de Jessé e estava inclinado a escolher um dos que tinham melhor aparência. Mas estava enganado. O Senhor me disse para não me impressionar com a aparência, nem com o porte físico. Enquanto as pessoas olham para o que está no exterior, o Senhor vê o interior, o coração.

O apóstolo Paulo complementou:

— Cristo julgou a todos conforme os segredos de cada coração.

Jesus continuou:

— Exatamente. Em toda a Bíblia está claro que sempre conheci os pensamentos e as intenções das pessoas. Fui moído pelas transgressões, ou seja, por toda a maldade praticada, mas fui traspassado pelas iniquidades, isto é, pela inclinação maligna dos corações. Acontece que muitas pessoas cheias de maldade no coração gostavam de enganar os outros revestindo-se da máscara da religiosidade. Isso não estava claro para eles, mas muito transparente para os meus olhos.

Enquanto ouvia aquelas palavras, lembrei-me das vezes em que Jesus, pessoalmente, condenou os religiosos, chamando-os de "hipócritas" e comparando-os aos sepulcros caiados, que, por fora, se mostram belos, mas, por dentro, estão cheios de ossos de mortos e de toda imundícia. Disse-me mais:

— Muitos que usaram meu nome eram falsos profetas que se apresentavam disfarçados de ovelhas, mas, por dentro, eram lobos roubadores. Não é toda pessoa que me chamou de "Senhor, Senhor" que entrou no reino dos céus, mas somente quem fez a vontade do meu Pai, que está aqui no céu. Quando morreram, muitas pessoas vieram me dizer: "Senhor, Senhor, não profetizamos em teu nome? Em teu nome não expulsamos demônios e não realizamos muitos milagres?". Então, falei com clareza: "Eu nunca conheci vocês! Afastem-se de mim, todos vocês, que praticam o mal!".

Aquele mesmo olhar profundo que senti desde o início sempre esteve sobre todas as pessoas. Muitos que oraram aos céus com a boca, o fizeram somente com os lábios, pois o coração estava longe do Senhor. A religião que eles praticaram não passava de doutrinas e ensinamentos humanos que eles só sabiam repetir de cor. Muitos esconderam seus planos do Senhor e fizeram maldades na escuridão, dizendo: "Ninguém pode nos ver! Ninguém sabe o que estamos fazendo!". Enganaram-se achando que ele não sabia, nem os conhecia.

Minha conclusão logo começou a se formar. O fulano não estava lá porque era um lobo travestido de ovelha. A aparente religiosidade e bondade não enganaram o olhar profundo, preciso e completo de Jesus. Ele nunca se arrependeu de maneira legítima de sua natureza pecaminosa, nunca clamou com todas as forças pela misericórdia do Senhor. Nunca entregou sua vida verdadeiramente a Cristo.

Pensando no outro

A caminhada com Cristo tornava-se cada vez mais surpreendente e extasiante. Seja pelas pessoas que encontrava, seja pelos lugares que conhecia, seja pela deliciosa companhia do Mestre... tudo era maravilhoso e extraordinário. Eu não conseguia parar de sorrir de orelha a orelha, nem de me comportar como uma criança empolgada pela curiosidade. *Uau*! Talvez essa fosse a minha expressão mais recorrente. Eu permanecia em estado de admiração e espanto.

— Você quer saber o que mais faço aqui? — perguntou-me o Mestre, sorrindo. Muitas possibilidades vieram à mente. Fiquei intrigado, pois a ênfase denotava que se tratava de algo superior, algo que tomava muito de sua atenção: *o que mais faço* não se tratava de algo a mais, ou algo além, mas algo superior, mais importante. Algo que demandava mais concentração, foco e dedicação.

— Mas é claro! — respondi de maneira vibrante.

Apressamos o passo e nos dirigimos a um lugar bem alto. Aliás, andávamos tão rapidamente que era como se tivéssemos rodas nos pés. Não nos cansamos, nem ficamos ofegantes. À medida que subíamos, todos em volta inclinavam-se em reverência ao Senhor. Muito legal aquilo, pois, ao mesmo tempo em que havia uma tremenda reverência por ele, havia também muita intimidade e liberdade. Interessantíssimo.

— Chegamos — disse-me com grande contentamento. O lugar era muito alto. Tinha uma vista completa e maravilhosa. De lá, era possível enxergar todas as direções. Norte, sul, leste e oeste podiam ser vistos de um mesmo lugar. "Epa, espera aí", pensei. A visão é muito maior daqui. A impressão que tive é que conseguíamos enxergar todo o Universo. De fato, todos os planetas, sistemas e galáxias tornavam-se acessíveis naquele lugar. Havia um livro e algumas taças bem grandes próximos. Anjos enfileirados aguardavam atentamente o movimento do Mestre. Eles mantinham os olhos fixos no Senhor e permaneciam preparados para cumprir alguma ordem, seguir alguma missão. Eram todos seres celestiais muito lindos. Verdade seja dita, tudo e todos ali eram lindos. Havia beleza espalhada por onde quer que os olhos pudessem percorrer.

Cristo deixou-me, mantendo-me confortavelmente instalado nos arredores. Percebi que algo muito importante aconteceria. Havia uma grande movimentação, cada qual se deslocando para uma posição previamente estabelecida. Cada um sabia seu lugar, como se comportar, o que falar, ou quando se aquietar. Jesus começou uma conversa. Eu não consegui enxergar com quem ele falava, mas tudo tinha muita harmonia e intensidade. Uma pessoa já acostumada com aquele momento recorrente aproximou-se de mim e explicou:

— Agora, a Trindade está em conferência. A conversa deles é muito importante e diz respeito aos santos que ainda não chegaram aqui. Observe como o semblante de Cristo é sereno, porém muito intenso. Ele está intercedendo por muitos ao Pai. Foi assim que ele fez comigo. Certa vez, Satanás queria me pôr à prova. Seria um momento muito difícil da minha vida. O inimigo queria me peneirar como o lavrador peneira o trigo a fim de separá-lo da palha. Mas ele orou por mim e não me faltou fé. Fui tão fortalecido que pude também animar meus irmãos.

Olhei para o lado e me dei conta de que quem me falava era o apóstolo Pedro. As palavras dele trouxeram o devido peso ao momento que os céus estavam vivendo. Era hora de oração e súplicas pela família do Senhor na terra. Eu ouvia sons muito intensos, algo como fortes gemidos. Eu não enxergava, mas ouvi o suficiente para reconhecer que eram gemidos inexprimíveis do Espírito Santo. Sons contundentes, graves, profundos, como se fosse um grande trovão em formação. Estava claro que o mais importante a que Jesus se referia era o momento dessa intercessão em favor do seu povo. Ficou patente que ele sempre intercedia por eles.

Os 4 seres vivos e os 24 líderes caíram de joelhos diante do Senhor. Cada um tinha nas mãos uma harpa e algumas taças de ouro cheias de incenso, que são as orações do povo de Deus. Cantavam com entusiasmo frases de adoração, sons que vinham das entranhas, profundos e belos. Declaravam em alto som lembrando que, por meio da sua morte, Jesus havia comprado pessoas de todas as tribos, línguas, nações e raças. Ele fez que essas pessoas se tornassem um reino de sacerdotes que servem a Deus. Declaravam que elas governarão o mundo inteiro. Observei outra vez e ouvi muitos anjos, milhões e milhões deles!

Outro anjo veio com um vaso de ouro, no qual se queima incenso, e ficou de pé ao lado do altar. Ele recebeu muito incenso para juntar às orações de todo o povo de Deus e oferecê-lo no altar de ouro que está diante do trono. Das mãos do anjo à frente de Deus subiu a fumaça do incenso queimado, junto às orações do povo santo. Eu sabia o que estava acontecendo, mas não tinha acesso por completo. Não conseguia enxergar o que se passava, nem quem poderia estar na terra. Os sons se multiplicavam e parecia que havia uma multidão clamando ao mesmo tempo. Tudo isso se misturava ao som da intercessão de Jesus e aos gemidos inexprimíveis do Espírito Santo. Eram petições das mais variadas; algumas ordenadas, outras desordenadas; algumas coerentes, outras controversas; algumas sérias, outras insensatas; algumas longas, outras curtas.

Todas eram respeitadas e consideradas, mesmo que algumas recebessem um peremptório *não*!

Apesar de não ter acesso ao que estava se passando, aquele ambiente me trazia segurança e conforto. Jesus era, de fato, comprometido com seu povo amado. Não sei bem como, mas tomei conhecimento de que ao longo da minha vida terrena incontáveis orações foram feitas para mim. Eram pessoas orando por livramento, saúde, alegria, paz. Pessoas que eu nem conhecia oravam por mim; algumas em lágrimas, outras até de joelhos. Fiquei constrangido ao perceber que tanta gente tinha ficado envolvida com minha vida pela intercessão. Porém, também tomei conhecimento da intercessão de Cristo por mim durante os dias de minha caminhada terrena. Como foi bom saber que não vivi um só dia na terra sem a intercessão dos santos e, principalmente, de Cristo e do Espírito Santo. Eu não saí da memória dele. Ele se importava comigo.

Mais uma vez o impulso de me ajoelhar e apoiar o rosto no chão se fez presente com toda a força. Invadido por gratidão, comecei a lembrar e perceber todos os benefícios que eu tinha feito durante a vida. Aceleradamente, lembrava de todos os livramentos e bênçãos, alguns de que nem tomei conhecimento enquanto habitante da terra. Notei quanto meus pedidos se referiam a mim e quanto envolviam outras pessoas. Constrangedor, mas sem culpa ou condenação. Aquela cena captou toda a minha atenção. De repente, apercebi-me de que eu estava lá. “Espera um pouco”, pensei, “eu estou aqui”.

Olhando para o espelho

Havia um lindo rio que circundava aquele lugar. Ele nascia no trono de Deus e se perdia de vista em comprimento. As águas brilhavam como cristal. A luz que vinha do trono de Deus e iluminava todo o ambiente reluzia no rio, formando uma infinidade de efeitos geométricos, multicoloridos e cintilantes. A beleza era tanta que pareciam sair faíscas no ar, como que labaredas de diamantes. Difícil descrever, mas fácil de lembrar. Impossível esquecer. Aproximei-me com vontade de beber daquela água. Inclinei-me à margem e, com a mão, deliciei-me com os primeiros goles. Era pura e fresca.

Olhei para o fundo do rio e avistei uma grande quantidade de pedras coloridas. Eram pedras preciosas que formavam o desenho de um jardim. Passei a mão pelas águas, formando pequenas ondas. Quando elas se acalmaram, a superfície do rio se transformou em um espelho. Olhei para o reflexo e fiquei muito admirado. Era eu mesmo. "Estou sonhando? Estou acordado? Estou imaginando? Isso é real?" Meus pensamentos agitaram-se em êxtase, porque era eu mesmo. Minhas rugas não mais existiam. Meu rosto era o mesmo, mas transformado. Meus olhos transmitiam uma chama de vida. Um brilho diferente reluzia no meu semblante. Subitamente, fui tomado por um júbilo. Não consegui conter o grito:

— Eu estou aqui! Eu estou aqui! Eu estou aqui!

Gente que eu não esperava estava ali. Gente que eu tinha certeza de que estaria não estava. Mas, de modo inesperado, perceber que era eu mesmo que estava ali foi demais! Eu tinha a clara noção de que não merecia estar naquele lugar. Sabia que era presente recebido, dádiva concedida, graça imerecida. Saí correndo de um lado para o outro, perguntando a todos:

— Diga-me, sou eu mesmo? Sou eu mesmo aqui?

As pessoas, assim como eu, riam. Partilhavam do mesmo sentimento. Com naturalidade, começamos a dançar e cantar. Juntaram-se àquela pequena multidão anjos que apareceram de todos os lugares, com instrumentos musicais diferentes. Sem qualquer ensaio ou preparação, estávamos produzindo um espetáculo musical, ao vivo, improvisado, perfeito. Lindas frases poéticas nasciam em uma sequência, uma após a outra. Cada pessoa ali sabia quando entrar, quando esperar o outro, quando cantar junto, quando aguardar um solista. Todos cantávamos a gratidão de estar no céu sem merecimento próprio. Cantávamos os méritos de Cristo.

No meio daquele pedaço do céu havia uma praça. De uma a outra margem do rio, havia uma linda árvore cuja copa era frondosa e os frutos, vistosos. Enquanto aproximava-me, alguém sussurrou no meu ouvido:

— Essa é a árvore da vida. Observe a força e profundidade de suas raízes. O tronco é espesso e nele corre seiva que carrega vigor e energia. As folhas curam todos povos, nações, raças, tribos e etnias. Ela produz doze frutos, mês a mês. Porque suas vestes foram lavadas no sangue do Cordeiro, você tem direito a comer do fruto dela. Vá, coma, alimente-se!

Sem hesitar, tomei aquele fruto. A textura era macia, e o gosto, doce. Delicioso! Não somente peguei para mim, mas para meus amigos também. Assentamo-nos no chão e continuamos a brincar, dar risadas, contar histórias. Foi um rápido piquenique. Alguns levantavam-se e começaram a brincar como malabaristas. Cheios de habilidades, com movimentos enérgicos, precisos e criativos, começamos a nos divertir com aquele *show*. Aliás, tudo ali tornava-se um *show* indescritível. Subiam, desciam, pulavam, davam cambalhotas, saltos duplos, triplos. Incontáveis movimentos.

Muita gente estava por ali. Todos comiam o fruto da árvore. Olhos redondos, puxados, claros, escuros. Gente de todo tipo. Gente bonita, alegre. Gente que sabia o valor de estar ali. Gente cheia de gratidão no coração. Gente curada de mazelas, chagas, feridas na alma. Gente liberta das fobias, taras, malignidades. Gente cheia de vida e amor. Gente inteligente.

Aliás, as conversas mostravam claramente que o raciocínio e a inteligência estavam potencializados. As matérias mais complexas da ciência tornaram-se assuntos corriqueiros. As pessoas falavam sobre equações complexas da criação como se fosse um tema popular. Em meio a essas conversas, a admiração pelo Criador sempre estava presente. À medida que se entendia as complexidades, crescia a contemplação. Ali fazia sentido a velha afirmação: "O primeiro gole da ciência pode fazê-lo ateu, mas Deus o espera no fundo do copo". Ali era o fundo do copo. Entre nós, explicávamos da complexidade do genoma aos antigos mistérios dos planetas.

A mente do Criador estava aberta e acessível. Os pensamentos dele pulsavam tão fortemente que era como se pudéssemos ouvi-los. Pensamentos a respeito de tudo e todos. Pensamentos a meu respeito.

— Ele sempre pensou sobre mim, antes mesmo da fundação do mundo — falei a um amigo que estava ao lado. Eram pensamentos de paz. Pensamentos bem mais elevados do que os que eu tinha a meu próprio respeito. E eu que imaginei que nem era lembrado. Como pude achar que havia sido desprezado? Nunca fui esquecido. Ao contrário, porque ele tanto pensava em *mim*, decidiu sair desse lugar maravilhoso para se fazer gente e, humildemente, cumprir a pena que estava destinada a *mim*. Tudo porque ele nunca parou de pensar em *mim*!

Que grande surpresa! Eu estava ali e dali não sairia jamais. Era "a vida que pedi a Deus"; na verdade, era uma vida muito melhor do que eu seria capaz de pedir a Deus. Tudo ao redor excedia infinitamente mais do que eu poderia ter pensado, imaginado ou pedido. O poder dele operou em mim e, pronto, lá estava. Naquele momento fui mais uma vez invadido por um impulso de profunda gratidão. Inclinei-me e não parava de bendizer meu Salvador, até que uma mão tocou as minhas costas e ouvi, com alegria, aquela doce voz, dizendo:

— Levante-se e venha comigo, pois teremos uma grande refeição em família.

Farto banquete

Levantei-me imediatamente e seguimos nossa caminhada. Sons de clarins ecoaram em todos os lugares. Anjos espalhados tocavam em uníssono, anunciando que algum grande evento no reino estava para acontecer. As pessoas espalhadas começaram a se reunir. Era uma planície muito extensa, cercada por montanhas, e, no meio dela, havia uma grande mesa. Uma cadeira para cada pessoa. Eram lindas, reluzentes, de ouro, com estofado vermelho, da cor de alizarina. Mesmo sem placas, todos sabiam quais eram seus respectivos lugares. Aliás, ter o próprio lugar à mesa traz a grata sensação de ser bem-vindo naquele momento.

À medida que chegávamos, começavam, novamente, muitas conversas interessantes. Era um momento bastante especial do dia, entre tantos outros especiais. Como uma grande família reunida ao redor da mesa, ríamos e brincávamos uns com os outros, com palavras de apreciação e elogios. Gente de toda cor de pele. Todos arrumados, bem vestidos, limpos, cheirosos. Sim, todos exalavam um bom perfume. Cada um com uma fragrância, mas todos igualmente agradáveis. Era bom estar perto uns dos outros para perceber a beleza de cada um. Os relacionamentos eram dinâmicos, intensos e focados em conhecer e prosseguir a conhecer mais o Senhor.

De repente, o silêncio invadiu aquele lugar. Os clarins pararam. Cessaram, também, as conversas paralelas. Cristo levantou-se da cadeira. Ficamos com os olhos fixos nele. Ele percorreu o redor com os olhos. À medida que virava o rosto lentamente, cada pessoa, a seu tempo, tinha a expectativa de ser a próxima a ser olhada. Eu estava naquela fila. De novo, a expectativa. Sem palavras, o olhar dele encontrou o meu, transmitindo profunda paz, aceitação, acolhimento, afeição, apreciação. Aquele olhar ignorava minha história cheia de imperfeições e me abraçava sem fazer perguntas. Foi rápido, mas eterno ao mesmo tempo. Registro-o na memória para nunca mais sair. Jesus se pronunciou:

— Estou muito feliz por ter essa refeição com vocês. Digo mais, sou muito feliz por tê-los comigo. Vocês são minha alegria.

Antes, na terra, comíamos um pequeno pão e tomávamos um pequeno cálice. Fazíamos isso em memória à morte e à ressurreição de Cristo. Aquele pão representava o corpo dele e o cálice, o seu sangue, o sangue da nova aliança. Antes da morte, Cristo havia inaugurado uma cerimônia que se perpetuaria pelos séculos. Como lhe é peculiar, Jesus tomou nas mãos elementos ordinários e lhes atribuiu significados extraordinários. Do mesmo modo, minha vida nas mãos dele havia ganhado valor. O comum foi revestido de singularidade, e o temporário, de eternidade. Ele prosseguiu:

— Festejem comigo! Alegrem-se porque chegou um momento especial. Vocês foram fiéis nas pequenas coisas, por isso eu os colocarei para governar toda a criação. Comam, bebam, alegrem-se — afirmou de maneira vibrante. Nesse exato momento, anjos postaram-se com comidas diversas.

— Isso é o céu! — exclamou alguém ao meu lado. Concordei. Estávamos como quem sonha. O cheiro era maravilhoso e abria o apetite. Porções generosas eram servidas. Diferentes quitutes, acepipes e aperitivos eram oferecidos. Experimentávamos de tudo. Um melhor que o outro.

Comíamos sabendo que não engordaríamos. Uma bebida parecida com vinho foi servida. Bebíamos e não nos embriagávamos. Ou melhor, ficamos embriagados, mas não com o que leva à dissolução e à perversão. Embriagados de alegria, amor e paz. Embriagados do Espírito Santo de Deus.

Então, Jesus disse:

— Criarei novos céu e terra. Alegrem-se, fiquem felizes para sempre com aquilo que eu criarei; pois vou encher de alegria a cidade de Jerusalém e darei muita felicidade ao seu povo. Nunca mais se ouvirá em Jerusalém nem barulho de choro nem gritos de aflição. Alegrem-se porque vocês têm o nome escrito no Livro da Vida, que pertence a mim.

O gesto de Jesus à mesa fez-nos lembrar como ele sempre valorizou a comunhão durante as refeições. A mesa era o principal ponto de encontro com Cristo. Durante refeições com amigos ou conhecidos, muitas necessidades eram satisfeitas pelo Mestre. A necessidade física era sempre suprida com um peixinho bem assado, com um pão com azeite ou outros quitutes típicos da época. Tudo muito gostoso e saboroso, algumas vezes preparado por ele mesmo, como foi feito na ocasião em que os discípulos caminhavam na estrada de Emaús.

A necessidade social de diálogo era um ponto alto. Esses momentos poderiam durar até oito horas. Falavam de coisas da vida, assuntos do coração. Riam juntos, choravam juntos, conversavam sobre as coisas da terra, sem perder a perspectiva dos céus.

A necessidade cultural da continuidade das tradições era naturalmente preenchida, desde o momento de se aproximarem da mesa, com o ritual de limpeza dos pés e das mãos. O próprio Jesus fez questão de lavar os pés de seus discípulos antes da refeição que antecedeu sua morte. E não foi só isso. Observe também a maneira de se sentar, reclinando-se à mesa. Jesus respeitava os protocolos como uma forma de respeitar as pessoas. Ele estava tão sensível a isso que até marcou seu primeiro milagre solucionando o problema da falta de vinho para que as famílias dos noivos não ficassem envergonhadas diante do ocorrido.

A necessidade espiritual da salvação, de todas as anteriores, era, sem dúvida, o clímax. Estar à mesa com Jesus é estar diante da esperança da eternidade, da vida em abundância, da expressão de amor e misericórdia do Pai, do perdão dos pecados, da transformação do coração. Sem dúvida, fazer uma refeição com Jesus à mesa é algo diferente de tudo mais. Que o diga Zaqueu que, após um momento como esse, decidiu energicamente restituir todos aqueles a quem havia prejudicado ao longo da vida. Durante uma refeição, houve salvação naquela casa.

A refeição com Jesus sempre foi encontro extraordinário de vida e tornou-se sinônimo do altar. Ao redor dela houve comunhão, transformação, salvação e alegria. As refeições com Jesus seguiam um padrão e um propósito, não ocorriam de qualquer jeito, nem contemplavam um conteúdo qualquer.

O melhor de tudo era perceber que, para todo o sempre, não haverá uma refeição sequer em que Cristo não estará presente.

Generosidade abundante

Eram notáveis naquela mesa as expressões de grande e incontido júbilo. Era uma festa. Jesus demonstrava grande contentamento e aprovação, e a alegria dele era contagiante. Não por acaso a primeira aparição pública dele na terra, demonstrando poder e autoridade, ocorreu durante uma festa de casamento. Tudo estava simplesmente maravilhoso: comida deliciosa, bebida sensacional, conversas divertidas, ambiente magistral. Todos eram vestidos e revestidos de beleza. Além dos ornamentos que carregavam, muitos haviam recebido presentes, dádivas generosas e abundantes. Ao contemplar meus irmãos e irmãs, fiquei com o coração saltitante. Falei em alta voz:

— Não há outro mais generoso e abundante que nosso Pai.

Todos ao meu redor levantavam as taças brindando à generosidade do Senhor, clamando e bradando:

— Viva o Rei!

Em silêncio, pensei se era aquilo que está escrito na Bíblia a respeito de galardão. Não bastasse a maravilhosa e superior graça de estar ali diante do santo e todo-poderoso Deus, éramos brindados com tantos presentes e dádivas de incomensurável valor! Uma doce e inesperada voz interior me disse: "Não só tenho prazer em presentear meus filhos na terra, como ainda muito mais aqui no céu. Aqui temos o tempo a nosso favor, nada se corrompe, nem se perde. Minha retribuição não é exatamente como muitos pensam, sobre méritos. É claro que jamais deixarei de retribuir tudo aquilo que fizeram por mim e para mim. Jamais esquecerei de nenhum feito, obra, iniciativa ou generosidade que tenham feito em meu nome de modo espontâneo. Mas minha graça e meu favor estão muito além disso".

À medida que ouvia aquela voz terna, meiga e firme, lembrava-me de muitas passagens da Bíblia a respeito do assunto. Jesus havia prometido recompensar a todos. É claro que fazer alguma coisa para Deus com a motivação de receber galardão não é precisamente como as coisas funcionam no reino dos céus. Quem espera pagamento é mercenário, como Jesus havia alertado. O que faz o bem com espontaneidade, sem esperar nada em troca, é visto por Deus com apreciação e respeito diferenciados. Fazer o bem esperando receber a recompensa não pode ser considerado uma atitude nobre e elevada. Aquele que exerce justiça ou faz atos de bondade diante das pessoas esperando o reconhecimento delas não receberá nenhuma recompensa do Pai no céu. Nisto erra: prefere o galardão das pessoas em vez do galardão do Pai.

Aquela doce voz continuou, mostrando tom de satisfação. "Muitos serão recompensados por terem resistido firmemente diante de perseguição, outros por terem sido fiéis na busca da verdadeira justiça, mesmo que lhes custasse a vida." Enquanto ouvia as palavras em meu coração, identifiquei entre os que estavam sentados à mesa irmãos e irmãs que tinham morrido como mártires. Tiveram o sangue derramado pelos intolerantes e malignos perseguidores de quem professava a fé em Jesus. Havia grande sentimento de apreciação uns pelos outros. Ao entrar em contato com os diferentes galardões dados pelo Senhor a seus filhos, dizíamos palavras de louvor uns aos outros:

— Impressionante sua resistência à perseguição que sofreu por causa de Cristo — opinavam. Outros exultavam:

— Muito legal a maneira como você deixou fluir o poder e o amor do Senhor em sua vida e em seu ministério.

Ou ainda:

— Como é linda sua história, cuidando dos pobres e dos necessitados!

Percebi, então, que o galardão distribuído nasce da alegria do coração divino em gerar alegria no coração de todos. A alegria de cada um contagiava os demais. Isso é marca do reino de Deus: alegria que se multiplica.

Muitas vezes, tive certo temor de falar a respeito do galardão. Parecia que falar sobre ele poderia tirar o mérito de recebê-lo. Dilemas comuns da mente afetada pelo pecado e que, agora, revestida da incorruptibilidade, estava aberta à mente do Senhor. Não é deixar de falar que credencia ao recebimento; afinal, a própria Bíblia fala a respeito. O segredo está em deixar a vida de Cristo fluir de forma natural. Aquela voz voltou a falar ao meu coração: "Parece que você está compreendendo com mais profundidade, querido. O segredo é deixar minha vida fluir em e por meio de você. Isso é suficiente para que o amor aumente e não esfrie, para que as manifestações de misericórdia sejam naturais e as iniciativas de atos de bondade, espontâneas. Minha vida em você sempre foi a marca mais profunda da esperança da glória".

Tudo ali confirmava a Palavra de Deus. Jesus tinha galardão para distribuir. Ninguém tinha o sentimento de superioridade, nem de inferioridade. Nós nos alegrávamos com cada galardão distribuído. Mesmo os que chegaram mais tarde na fé recebiam, como na parábola dos trabalhadores — a matemática divina seguia sua lógica da abundante graça. Nenhum ato de bondade real e altruísta ficou esquecido. Pequenos feitos receberam recompensas extraordinárias. Pela generosidade, o espanto se misturou com a alegria. Alguns diziam:

— Mas, Jesus, quando eu fiz isso?

E ele respondia:

— Quando você fez a um dos meus pequeninos, a mim o fez.

Aos olhos do mundo, aquelas cenas seriam consideradas loucura total, desperdício, tolice. Mas, no reino dos céus, tudo fazia muito sentido, pois sua marca é de generosidade abundante.

Marcas e dores

Ele ficou conhecido como uma pessoa que carregava a dúvida no coração. O que outras pessoas diziam não era suficiente para convencê-lo; ele precisava ver com os próprios olhos e tocar com a própria mão. A atitude dele fora tão marcante que seu nome se tornou sinônimo de ceticismo: Tomé. Achei interessante quando o encontrei e quis falar a respeito da fama de cético que ele tinha, de pessoa que precisa ver para crer. Começamos a rir, pois Tomé me pediu para falar muitas vezes:

— Diga-me que isso tudo ao nosso redor não é sonho.

Brincadeiras à parte, ele insistia em que agora não havia mais por que duvidar, pois não era mais necessário crer. De fato, no céu não são mais necessários fé, nem esperança, pois tudo se tornou realidade. Ficou o amor, por toda a eternidade. Aquilo que se esperava não é mais necessário esperar; agora era só usufruir daquilo em que se tinha fé.

Tomé levantou-se com um semblante de quem começaria um discurso. Imediatamente uma multidão interessada e ansiosa por ouvi-lo formou-se. Isso sempre acontece. Todos sentem grande prazer em ouvir o outro, sentir a expressão do outro, auscultar o coração do outro. Tudo sem pressa, na atmosfera da eternidade, onde nada se consome, se perde ou se corrompe. Ele começou dizendo:

— Após a ressurreição, Jesus havia aparecido para algumas pessoas. Todos os relatos eram naturalmente eufóricos. O entusiasmo contagiante fazia que aqueles que ainda não tinham visto o Mestre mal conseguissem dormir. A expectativa desse encontro retirou todo o sentimento de frustração que havia invadido a alma dos discípulos com a morte de Jesus. Eu, porém, comecei a pensar que nossos irmãos e irmãs estavam sendo iludidos. Parecia que o tamanho do sofrimento que nos tinha assolado com a perda da presença do Amado tinha criado um ambiente para devaneios e imaginação. Estava tão enfraquecido que tinha perdido a capacidade de esperar, o que me fez entrar em rota de desespero. Aliás, o desespero é não conseguir esperar mais, certo? A esperança é oposta ao desespero. Cético, eu não tomava decisões com facilidade, pois ficava paralisado com minha visão demasiadamente negativa das circunstâncias. Muitas vezes fiquei obcecado com o que poderia dar errado. Em minha relação com as pessoas, tornei-me excessivamente crítico a respeito dos outros, ao mesmo tempo que sempre tinha dificuldade de aceitar críticas. Minha relação com a dúvida a respeito da ressurreição de Cristo refletia toda a minha dificuldade de lidar com o futuro. Estava preso a mim e não conseguia ver a vida com os olhos da esperança.

Nesse momento houve uma pequena interrupção. Todos começaram a falar baixo sobre a alegria de terem sido arrancados dos grilhões do desespero, da desesperança, do ceticismo. O burburinho repercutiu em Tomé, que começou a assentir.

— Isso mesmo — continuou. — Todos estávamos nas trevas da incredulidade —, cegos para a capacidade de esperar o que Jesus já havia clara e repetidamente anunciado: a ressurreição!

Aquelas palavras ressoaram nos céus. Do lugar em que Tomé falava, o som se propagava com acústica extraordinária. A palavra *ressurreição* ecoou naquele lugar em volume alto e forte. Todos foram impactados e responderam com salvas de palmas, gritos de exaltação, vivas de júbilo, gestos de felicidade. Soprava sobre nós um vento de alegria incontida. Então nossa boca se encheu de riso, e a nossa língua, de regozijo. Entre as nações ali representadas se dizia:

— Grandes coisas fez o Senhor por nós e por isso estamos alegres!

Aos poucos, o silêncio foi tomando conta, e Tomé retomou a história:

— Alguns dias se passaram quando estávamos todos os discípulos reunidos, inclusive eu. De repente, sem percebermos, mesmo com as portas trancadas, Jesus chegou e ficou em nosso meio. Diante de todos, atônitos, após nos saudar com sua maravilhosa paz, nosso Salvador voltou-se para mim, olhou nos meus olhos e disse: "Tomé, veja as minhas mãos e ponha o dedo nelas. Estenda a mão e a aproxime de mim. Pare de duvidar e creia!". Fiquei muito constrangido. Percebi que minha dúvida tinha raízes profundas naquele desespero. Sabia que Jesus me amava, mas pensava que ele havia sido derrotado, que não tinha poder para vencer toda aquela conspiração das autoridades da terra e do inferno contra os céus. Minha dúvida era reflexo do desconhecimento completo da força do Senhor. Tinha confundido sua mansidão com fraqueza, e sua ternura, com impotência. Minhas referências de força e poder estavam baseadas na potência militar, no porte físico dos opressores, nas armas forjadas por mãos humanas. Mas, ali, diante de mim, estava a pessoa que vi morrer. Meus lábios, constrangidos, balbuciaram: "Senhor meu, Deus meu!".

Nesse momento, levantou-se Isaías para confirmar a profecia que proferiu quase sete séculos antes daquele momento:

— Exatamente a imagem das mãos do Senhor me veio ao coração muito tempo antes. O Senhor deixou essa marca para que jamais nos esqueçamos de que nossas vidas foram gravadas na palma de suas mãos. Ele nos ama tanto que, mesmo após a ressurreição, não apagou isso.

Nossos nomes gravados na palma das mãos de Jesus: "Uau", pensei. O profeta tinha captado algo sutil. O que permaneceu gravado foram os cravos pregados naquela cruz. Jamais imaginaria que o memorial mais expressivo não tinha sido construído no Gólgota, nem em qualquer outro lugar de Jerusalém. Jesus deixou o memorial nas marcas que carrega. O amor do Senhor gerou as marcas e também as manteve para alimentar maior amor ainda. Maravilhoso, não?

Tomé continuou:

— Após mostrar-me suas marcas, Jesus perguntou: "Você creu porque me viu? Felizes são os que não viram, mas assim mesmo creram". A grande maioria de vocês está neste grupo.

Isso mesmo, é neste grupo que estou incluído. E como estou feliz! Agora que meus olhos veem, todo o mistério foi desvendado, posso compreender o sacrifício por completo. Tomé prosseguiu:

— Lembrei-me de quando Jesus falou para tomarmos sobre nós o seu jugo, a fim de acharmos descanso para a alma. O Mestre declarou que seu jugo era suave e seu fardo, leve. Mas *leve* para cada um de nós não significa que tenha sido leve para ele. Ao contrário, foi muito pesado.

De repente, uma irmã levantou-se e, gentilmente, dirigiu-se aos presentes, com muita autoridade e graça:

— O peso físico da cruz começou no Getsêmani, quando Jesus suou sangue, resultado da profunda luta interior por que passava, acompanhada de dores fortíssimas e desidratação. Logo que foi condenado pelo Sinédrio, Jesus foi esmurrado e levado pelos guardas sob bofetadas até Pilatos. Havia muito ódio no coração deles. Bateram muito forte. Depois de ter sido condenado por Pilatos, fincaram-lhe uma coroa de espinhos e ficaram batendo nela com uma vara. Jesus foi açoitado com um chicote de tiras de couro carregadas com pedaços de chumbo e ossos nas pontas, o que causou feridas profundas nas costas, como havia sido dito pelo salmista: "Passaram o arado em minhas costas e fizeram longos sulcos". Percorreu o trajeto até o Gólgota a pé, carregando a própria cruz por cerca de oitocentos metros. Aquele pedaço de madeira era tão pesado, especialmente para quem já estava flagelado, que foi necessário alguém para ajudá-lo a carregar. Ao subirem-no na cruz, não o amarraram, mas o pregaram com cravos nos pés e nas mãos. Jesus ficou suspenso na cruz por seis horas, a partir do meio da manhã até a metade da tarde, quando morreu. Por isso nosso irmão Isaías revelou que Jesus tornou-se homem de dores e que sabe o que é padecer.

Outra irmã prosseguiu a narrativa:

— Apesar de ter sido intensa, a dimensão física de seu sofrimento não foi a pior parte. O peso emocional da cruz começou quando foi traído com um beijo por um de seus discípulos. Outro o negou diante das pessoas que queriam associá-lo ao Senhor. E, quanto aos demais, muitos fugiram, abandonando-o. Como todos sabemos, Jesus foi vítima de um julgamento falso, falho e sumário. Os soldados zombaram dele, vendaram seus olhos, o provocavam para que ele profetizasse quem o esbofeteava, dirigiram-lhe muitas palavras infames e blasfemas. Foi cuspido no rosto, desnudado, ridicularizado pela multidão, provocado pelos guardas, criticado por um ladrão crucificado ao lado, caçoado pelos que passavam, escarnecido com uma placa acima da cabeça. Por isso nosso irmão Isaías revelou: "Não escondi a face da zombaria e dos cuspes".

Uma terceira irmã levantou-se para continuar aquela ministração.

— Apesar de desgastantes, as dimensões física e emocional do sofrimento não foram ainda a pior parte da história. De tão intenso e impactante, o peso espiritual da cruz foi a mais difícil luta que alguém poderia enfrentar. Inclusive, ela foi acompanhada por toda a natureza criada. Por três horas houve escuridão sobre toda a terra. Era a hora do poder das trevas. Três dias de escuridão na Páscoa do Egito apontaram para as três horas de escuridão na Páscoa do Cordeiro de Deus. Jesus ficou em silêncio até o auge do sofrimento quando clamou, em agonia: "*Eloí, Eloí, lamá sabactâni*?", que significa "Meu Deus, meu Deus! Por que me abandonaste?". Durante o período de escuridão, Jesus se tornou pecado e maldição por nós, tomando sobre si as nossas dores, sendo traspassado pelas nossas transgressões e moído pelas nossas iniquidades. Ele recebeu sobre si a iniquidade de todos nós. Cristo teve a clara percepção dos efeitos da humanidade decaída e destituída da comunhão com Deus, tornando-se apto, pelo sofrimento, a compadecer-se de nossa realidade. Não clamou às autoridades, aos religiosos, aos amigos, à mãe. Clamou ao Todo-poderoso. Clamou a quem devia clamar. Clamou como filho obediente. Clamou do lugar onde deveria estar. Clamou a palavra de Deus. Clamou com esperança. Clamou, vitorioso.

Naquele momento, ficou muito claro que as três narradoras tinham presenciado a crucificação de Jesus. Ficou claro, também, que, apesar da crueldade física, da humilhação emocional e da agonia espiritual, Jesus, em troca da alegria que lhe estava proposta, suportou a cruz, não fazendo caso da ignomínia, ou seja, não se importando com tudo o que sofreu. De fato, cumpriu-se que Jesus verá o fruto do penoso trabalho de sua alma e ficará satisfeito; afinal, estávamos todos lá por causa da sua cruz. Somos o fruto desse penoso trabalho. Aprendemos a tomar sobre nós o seu jugo, o seu trabalho, a sua obra, a sua missão. Só assim encontramos descanso para a alma.

Mais gente nova

Não parava de chegar pessoas ao céu. Como havia sido predito pelo apóstolo, todos recebiam um corpo perfeito, revestido de incorruptibilidade e imortalidade, evidenciando que a morte havia sido derrotada por completo. Mesmo sem os sinais na pele, era possível identificar a idade aproximada que cada um tinha na vida terrena. Velhos, adultos, jovens, crianças. Pessoas de todas as idades, mas todas alegres e espantadas ante o impacto dos primeiros instantes da eternidade. Não havia como não ficar contagiado com a expressão verdadeira e profunda delas.

Em meio a muitos abraços de saudação entre veteranos e novatos, voltei-me a um dos preciosos irmãos e começamos a conversar. Era João Batista, primo de Jesus, profeta da voz que clamava no deserto pregando arrependimento. O olhar firme dele não deixava de exalar compaixão, e as palavras diretas eram temperadas com amor. Sem conseguir conter a curiosidade, perguntei-lhe:

— Irmão, você serviu tanto ao Senhor, preparando seu caminho, mas, ainda assim, teve uma morte tão trágica?

Em meio a uma gargalhada e, junto de muitos companheiros, ele respondeu:

— Minha morte foi fruto do capricho maligno de uma mulher que pediu minha cabeça em um prato. Nada agradável, não é verdade?

Percebi que alguns que estavam ao redor tinham sido discípulos dele. Trocavam olhares reveladores sobre episódios do passado. Eram testemunhas da malignidade do ser humano sem Cristo. Até que ponto uma pessoa de aparência bonita e ingênua pode servir de instrumento para promover a morte de um inocente e ainda com tamanha crueldade? Crimes hediondos, repugnantes e horríveis acontecem o tempo todo. Ele continuou:

— Alguns saem do palco da vida vítimas de um ato de violência, como eu, e outros são vítimas de alguma enfermidade. Alguns morrem dormindo, e outros passam por um acidente. Alguns morrem velhos, e outros, ainda crianças. Não importa a causa da morte, todos morrem e morrerão. Observar nossa morte apenas pelo ângulo limitado da vida terrena traz muita dor e frustração.

Aquela conversa foi envolvendo todos ao redor. Cada um tinha um relato de morte diferente. Qualquer que fosse a causa da morte, tornava-se consenso que ela era uma intrusa na História, uma invasora das famílias, uma ladra da alegria. De fato, quando a morte é observada somente pelo ângulo limitado da vida terrena, há apenas dor e frustração.

Uma mulher aproximou-se do grupo. Percebemos que ela tinha vivido na terra não mais que dez anos. Ao lado dela havia outra mulher, que tinha sido sua mãe na terra. Ansiosos a respeito do destino daquela reflexão, nós as observamos. Com carinho, aquela mãe começou a falar:

— Não foi fácil para mim quando minha filha morreu. Lutamos contra aquela súbita enfermidade, mas os recursos médicos não foram suficientes para evitar a morte dela. Meu mundo ruiu. Enfrentar aquele momento sem perspectiva da vida foi impossível. Nos primeiros meses de luto, minha mente ficou obscurecida pelos sonhos interrompidos.

Eu tinha sonhado com as lindas roupas que ela vestiria, com as amigas dela brincando pela casa, com a festa de 15 anos, com o curso universitário, o casamento, filhos, netos. Coisas lindas e maravilhosas.

Um homem juntou-se à conversa. Entendemos ser ele o pai e o marido da história. De maneira muito convincente, o homem começou a relatar as dificuldades que o casal passou a enfrentar após o trágico episódio. Descreveu o desânimo na vida profissional, a revolta com Deus, o afastamento dos amigos, os pensamentos suicidas. Tudo na vida do casal foi afetado. A filha interrompeu:

— E eu aqui, feliz e maravilhada com toda esta vida. Não parava de abraçar e beijar Jesus, nem de pular e me divertir com tudo e todos. Continuo do mesmo jeito, pulando, cantando e me alegrando. A cada momento que passa, parece que tudo fica melhor ainda. Como pode isso? — perguntou sorrindo e saiu correndo, alegre pelos campos, cercada de anjos e tantas outras pessoas que, como ela, brincavam e se divertiam. A mãe voltou-se para todos nós e, com um brilho especial nos olhos, continuou o relato da família.

— A tristeza dominava meu coração, porque não enxergava isso tudo que hoje vemos e tocamos. Ao longo do tempo, descobri, pela Palavra, que tudo o que estava sentindo era fruto de uma visão muito pequena da eternidade. Ao ler a Bíblia, especialmente os escritos de Paulo, fui despertada para uma realidade maior, anterior e superior a tudo o que estava vivendo. Muitas vezes, o apóstolo, em meio ao sofrimento, tinha forças para continuar. Perguntei a mim mesma: como ele conseguiu ter ânimo sofrendo perseguição, apanhando, passando fome, sede e privações? Segundo seu relato, ele foi açoitado cinco vezes, espancado três, apedrejado uma vez. Como náufrago, passou um dia e uma noite na fúria do mar. Passou por perigos em viagens, rios, cidade, no deserto e no mar; entre assaltantes, compatriotas, gentios ou falsos irmãos. Como pôde suportar frio e nudez, além de longos períodos de jejum?

O marido complementava a fala, como se estivesse fazendo um dueto:

— Mesmo em meio a tanto sofrimento, Paulo jamais desanimava. Alguma coisa aconteceu com ele que nos deixou intrigados em descobrir. Ao contrário da maneira como estávamos reagindo à dor que enfrentávamos, a vida de Paulo apontava para outro caminho a seguir. Estávamos no labirinto de sentimentos que nos envenenam, no caminho sem saída que nos imobiliza. Assim como um inseto é preso pela teia da aranha com amarras fortes, estávamos nos preparando para sermos devorados pelo predador.

A mãe fez referência a um texto do apóstolo:

— Mesmo que o nosso corpo vá se gastando, o nosso espírito vai se renovando dia a dia. E essa pequena e passageira aflição que sofremos vai nos trazer uma glória enorme e eterna, muito maior do que o sofrimento. Porque não prestamos atenção nas coisas que se vê, mas naquelas que não se vê. Pois o que pode ser visto dura apenas um pouco, mas o que não pode ser visto dura para sempre.

— Aquela leitura foi a chave para nós — disse com entusiasmo o marido.

— De repente, percebemos que só estávamos dando atenção às coisas que se vê, esquecendo-nos das coisas que duram para sempre — prosseguiu a mãe. — Perguntávamos como alguém poderia superar fortes dores sem perder a verdadeira paz, fortes angústias sem perder a esperança, fortes perdas sem entrar em depressão profunda?

O marido arrematou:

— A resposta veio quando deparamos com a declaração do apóstolo de que ele havia sido arrebatado ao terceiro céu, onde ouviu palavras inexprimíveis e viu cenas indescritíveis.

Naquele momento, tudo fazia sentido. Tornava-se muito claro que qualquer pessoa que tivesse a visão aberta para a realidade da glória celestial e retornasse à terra, como o apóstolo Paulo, jamais se sentiria ameaçado pela mentira da morte, pois a morte, para quem teve a experiência da vida eterna, não passa de uma mentira para os que estão na terra. As pessoas não sabem a dimensão da verdade sobre o fato de que Jesus venceu a morte. Essa verdade implica dizer que a morte não mais existe para todo aquele que está em Cristo. O que é chamado de morte na terra é chamado de início da eternidade no céu.

O inimigo do consolo

Todos os que se encontravam ao redor estavam muito envolvidos naquela conversa. Afinal, as pessoas ali haviam passado da morte para a vida. Grande também era a consciência de que a vitória da vida eterna sobre a morte não tinha sido conquistada por méritos próprios, mas pelos méritos de Cristo. Nascia mais um momento de adoração e profunda gratidão ao Salvador. A conversa foi momentaneamente interrompida por um cântico que surgiu de modo espontâneo, acompanhado dos anjos e seus inenarráveis instrumentos musicais:

— Ao que está sentado no trono e ao Cordeiro pertencem o louvor, a honra, a glória e o poder para todo o sempre!

A mãe retomou a fala descrevendo o processo do consolo pelo qual passaram a partir da mudança da perspectiva:

— Quando percebemos que Paulo havia sido arrebatado aos céus, passamos a entender por que não havia dúvidas de que deixar a vida terrena para estar com Cristo era incomparavelmente melhor. Ele tinha visto o que era muito melhor. Por possuir outras referências, podia afirmar categoricamente que a morte era lucro. Entendia a morte como uma palavra para traduzir a transição da vida terrestre para a vida celestial.

Eu acompanhava a conversa com os pensamentos fervilhando. De fato, estando no céu, não havia como comparar aquela realidade com a vida na terra. O pecado entrou na história da humanidade e estragou todo o plano original de Deus para as pessoas. A iniciativa da redenção feita pela vinda do Filho à terra para nos reconectar ao coração do Pai foi tremenda. O apóstolo Paulo estava muito consciente do que lhe esperava nos céus, o que provocava o desejo de estar com Cristo. Por outro lado, incomensurável privilégio seria o de continuar na terra para cumprir um propósito de Deus na história da humanidade, no caso dele pregando e ensinando a igreja em seus primeiros anos de vida. O senso de propósito e missão equilibrou a vida do apóstolo. Na mesma direção, todo cristão que ainda não morreu, sendo honesto, deveria ter senso de propósito e missão. Caso contrário, morrer seria a melhor proposta.

O marido, empolgado, continuou o relato de como a mente e os sentimentos do casal começaram a ser profundamente transformados à luz das promessas da Palavra:

— Passamos a pensar menos em nós e mais em nossa filha. A ordem das coisas mudou. Quando pensávamos no que havia sido perdido, éramos tomados por tristeza. Quando pensávamos no que Cristo havia conquistado e preparado para nós, éramos tomados por extasiante alegria. É claro que sonhávamos em ver nossa filha crescendo, desenvolvendo-se pessoal, profissional e emocionalmente. É legítimo sonhar que ela tivesse se casado e nos dado netos lindos. Mas esses eram *nossos* sonhos para ela.

A mãe prosseguiu:

— Mas os sonhos de Deus eram muito maiores. O melhor casamento seria como amargura se comparado à doçura dos encontros de amor com o noivo celestial, a maior realização profissional seria como cansaço e enfado diante das realizações aqui nos céus, as maiores conquistas na terra seriam como fumaça que se esvai se comparadas à eternidade.

O marido completou, pensativo:

— Em certo sentido, sem desprezar as bênçãos que tínhamos na terra, passamos a perceber que nossa visão da vida era ilusória e egoísta. Ilusória, pois pensávamos nas belas coisas que nossa filha tinha perdido, sem considerar as bênçãos inefáveis de que já estava desfrutando aqui. Egoísta, pois, no fundo, estávamos projetando nossos sonhos na vida dela. A essa altura da consciência, percebemos que, em certa medida, a tristeza era fruto do egoísmo em desfrutar do outro, em querer possuir o outro, em estar livre para desejar o melhor ao outro. A carência da ausência passou a ser preenchida com a esperança das promessas do Senhor, e as dúvidas foram satisfeitas com a convicção da soberania do Altíssimo. Assim como o rei Davi havia dito que não mais poderia trazer seu filho de volta, mesmo com o mais dolorido choro, mas que um dia estaria onde ele está, assim também nós percebemos que nossa filha estava bem em um lugar onde estaríamos no futuro. Isso acalmou nosso coração. Agora... aqui estamos.

Surpreendentemente, todos os que estávamos desfrutando da conversa naquele canto do paraíso fomos envolvidos por uma espécie de névoa. Nada foi falado ou anunciado, mas tivemos a nítida convicção da presença arrebatadora do Espírito Santo. A sensação de êxtase invadiu todos. Fomos visitados de maneira intensa. Todo o nosso ser foi conduzido ao enlevo espiritual que nem imaginávamos existir.

Sem que ninguém, pelo menos aparentemente, falasse, passamos a ouvir uma voz em nosso interior cuja doçura provocava satisfação e gozo. Parecia percorrer os mais profundos recônditos do ser. Lá dentro, no âmago da existência, o som caminhava, deixando cada um em estado de intensa serenidade. Não sei dizer quanto tempo experimentamos aquele momento. Aliás, no céu tudo parece rápido e eterno, acelerado e vagaroso, leve e intenso. Não se tem a noção de tempo como na terra, pois o que se sabe é que Deus é o Senhor do tempo. O tempo está a serviço do Eterno.

Nossos olhares continuaram a se cruzar, aguardando o próximo movimento. A mãe comentou:

— Essa sensação que experimentamos é parecida com o que vivemos na terra. Nosso coração, com essa presença do

Espírito Santo, passou a ser preenchido pelo consolo. A agitação interior acabou. Passamos a desfrutar de um estado de paz nunca experimentado. A convicção de que nossa filha estava nos braços de Jesus foi suficiente para que todo tipo de pensamento diferente dessa verdade fosse dissipado. Alcançamos a graça do consolo. Sendo bem sincera, se houvesse motivo para choro, não seria por nossa filha, pois ela estava muito bem; seria por nós mesmos, enquanto aguardávamos a redenção completa de nossa vida. Adquirimos outra visão da morte, ou melhor, da vida.

A alegria do grupo era transbordante. Percebíamos a provisão de Deus para os momentos mais difíceis da vida terrena. João Batista e seus discípulos riam da cabeça na bandeja, ignorando o terror da morte. Estêvão e outros discípulos da igreja primitiva riam-se dos apedrejamentos, desprezando o ódio enfrentado naquela época. Todos passaram a lembrar de muitas lutas e dificuldades com o filtro da provisão do consolo. As palavras de Jesus, de que nunca nos deixaria órfãos, tinham se cumprido. Quer seja pela presença do Espírito Santo, enviado após a ascensão dele aos céus, quer seja pela sua iminente volta, de fato fomos feitos filhos de Deus para ser acompanhados por sua bendita presença até a eternidade.

O marido continuou seu relato dizendo que, embora tivessem sido alcançados pelo pleno consolo do Espírito Santo, foram surpreendidos por um novo inimigo:

— Já estávamos conscientes da bênção da vida eterna para nossa filha e também para nós no futuro, quando fomos tomados por um pensamento muito negativo. Parecia uma seta que invadia a mente, afirmando: "Se vocês não choram mais é porque não amavam sua filha; se amassem de verdade, estariam chorando até o último dia de suas vidas".

A mãe confirmou a imensa luta que passaram a enfrentar. Acusações invadiam a mente e lutavam contra o consolo do Espírito Santo.

— No primeiro momento, ficamos confusos — explicou. — Sentíamos saudade. Olhávamos as fotos e ficávamos emocionados. Mas o consolo da vida eterna era mais forte que o choro. Pensávamos que um dia, no futuro, voltaríamos a nos encontrar. Tínhamos plena confiança nas promessas deixadas por Jesus de que na casa celestial do Pai existiam muitas moradas. Não havia por que temer, nem por que se desesperar. Mas aquela acusação era intensa e crescente. Perguntávamos um ao outro o que estava acontecendo.

O marido, já com um sorriso nos lábios, pronto para desvendar as cenas do próximo capítulo, revelou:

— Compreendemos que o inimigo do consolo é a culpa. O inimigo da vida, inconformado com nosso bem-estar, mesmo após veemente calamidade, queria nos derrotar lançando falsas acusações que, mesmo com roupagem legítima, eram absolutamente falsas. O que fizemos? Resistimos firmemente, com base na Palavra, e permanecemos dentro da provisão daquela maravilhosa ação do Consolador, o Espírito Santo.

Aquela conversa esclarecia muita coisa. Como é bom ver a vida sob a perspectiva dos céus! Tudo se fecha. Tudo faz mais sentido. Melhor pensar que essa perspectiva já é dada pela Palavra de Deus e pela ação de seu Santo Espírito a todos que estão na terra. Deus é maravilhoso!

Algumas mulheres que ouviam com atenção assentiam, concordando com aquele casal. Quando as vi sorrindo por compreender e discernir a atuação sutil da malignidade querendo sempre matar, roubar e destruir, entendi que elas teriam muito a acrescentar.

Aliás, todas as conversas no céu são revestidas do pleno conhecimento do Filho de Deus em todas as suas intenções e realizações, de completa maturidade emocional, de elevada estatura nos relacionamentos marcados por respeito, plenitude da presença de Deus dentro e fora de cada um. Pensamentos aguçados são revestidos de palavras doces. Reflexões profundas são transmitidas com simplicidade e vigor. Enigmas que pareciam impossíveis são decifrados com facilidade. Olhares que se cruzam comunicam amor e sabedoria. Todos que ali estão tornaram-se filhos de Deus, recebendo a mesma natureza, composição e estrutura de Jesus. Aquele que era unigênito, único filho, tornou-se primogênito, primeiro filho, de muitos iguais a si mesmo. É muito difícil descrever a percepção de que estamos diante de quem nos tornamos completamente parecidos, na presença de quem está dentro de nós. Ao mesmo tempo, Jesus é distinto de todos, sendo refletido por todos. Percebi quanto fomos revestidos da plenitude de Cristo. Uma daquelas mulheres começou a relatar sua experiência:

— Estávamos no meio da multidão que acompanhou Jesus a caminho da cruz. Batíamos no peito e lamentávamos em alta voz. Olhávamos umas para as outras, alimentando o desespero. Nosso grito ardido foi interrompido pelas palavras de Jesus, que disse: "Filhas de Jerusalém, não chorem por mim".

Naquele momento, aquelas mulheres trocavam olhares, concordando, alegres. Outra delas continuou:

— Como alguém em meio a tanta dor poderia pedir que não chorássemos? Quem estava sofrendo era Jesus. Mas o olhar e as palavras dele transmitiam seu total consolo. O conforto dele nos reconfortou. Começamos a engolir o choro aos poucos, uma após a outra. Não sabíamos, mas estávamos sendo assistidas pelo Espírito Santo. Aquele que viria a habitar permanentemente em nossa vida já estava em nosso meio para cumprir a missão de ministrar à nossa alma, assistir nossa fraqueza, ajudar os joelhos trôpegos, arrancar o desespero e nos encorajar e animar.

Todas tinham pleno discernimento de como haviam sido tocadas pelas palavras de Jesus. As filhas de Jerusalém costumavam chorar e lamentar em público. Muitas daquelas mulheres eram carpideiras, profissionais contratadas para chorar nos enterros. Mais do que o interesse no dinheiro que o choro poderia render, elas achavam culturalmente bonito viver o lamento e dramatizar a dor. Tornaram-se pranteadoras por vocação, choradeiras por ocupação.

— As palavras proferidas por Jesus a caminho da cruz quebraram o efeito do choro desesperado, despedaçaram o jugo do sentimento inconsolável, quebraram a resistência que havia em nossa alma à obra do Espírito Santo — continuaram a falar as filhas de Jerusalém. — O trabalho que o Espírito faz nos corações para promover a paz interior excede todo entendimento, ou seja, não se consegue explicar.

Talvez, por isso, muitos, ao deparar com alguém profundamente consolado diante da morte, o consideram louco ou, no mínimo, desprovido das melhores faculdades mentais. Outros ainda consideram que os consolados não amam tanto quanto os que choram copiosamente.

Aquelas mulheres não somente compreenderam e foram libertas, como tornaram-se instrumentos divinos da geração delas para proclamar o Deus que consola. Assim como Jesus, foram chamadas e capacitadas para consolar todos os que choram e ungidas para ministrar a todos os que estavam em luto — colocando uma coroa em vez de cinzas, óleo de alegria em vez de pranto, e vestes de louvor em vez de espírito angustiado.

Livro aberto

Estávamos em mais uma roda de conversas, dando muita risada. Havia gente de todo tipo, mas com tudo em comum: uma única fé, um único Senhor, um único Deus e Pai de todos, uma única família. Sim, os olhos podiam ser diferentes, mas o coração era o mesmo, cheio de amor. Todos conheciam todos, muito embora fosse a primeira vez que nos reuníamos. É difícil explicar, mas havia completa transparência diante dos olhos do Senhor e também diante de todos. Ao mesmo tempo que conhecíamos a vida de cada um, éramos conhecidos por todos, num ambiente de completa confiança e aceitação.

Conhecer uns aos outros implicava também conhecer a história de cada um. Havia a consciência de quem éramos, mas sem culpa nem vergonha. Assim como uma mãe se esquece das dores de parto quando nasce o bebê, assim esquecemos das dores do passado por causa da nova vida para a qual nascemos. Restou somente a alegria. A consciência do passado de rebelião, indiferença, pecado, maldade, podridão e escuridão que vivíamos foi coberta pela densidade do perdão e pela profundidade do amor com que Jesus nos aceitou. Os pensamentos, as memórias e os sentimentos foram sarados.

É impressionante como não havia absolutamente nada de que se envergonhar. O acolhimento era tão intenso que tudo o mais desapareceu: assim como as trevas somem diante da luz, nossos pecados sumiram diante do perdão divino. A santidade do Senhor nos envolveu até a mais profunda raiz do nosso ser. Fomos feitos novas criaturas, a velha natureza fora destruída e tudo novo se fez. O amor de Deus cobre, cura, restaura, refaz, realinha, cicatriza. A percepção a respeito da intensidade do amor de Deus crescia a cada momento.

Lembrei-me da primeira vez em que notei a expressão na Bíblia, em João 13.23: "o discípulo a quem Jesus amava". Fiquei muito intrigado com essa referência e passei a pesquisar quem seria esse tal. Curiosamente, encontrei a mesma expressão em outros três trechos (Jo 20.2; 21.7,20), todas no mesmo livro. Nenhum outro escritor do Novo Testamento usou essa expressão. Fiquei curioso. Será que somente um evangelista tinha percebido esse tal discípulo?

Minha curiosidade foi substituída pelo espanto da descoberta. Esse tal discípulo a quem Jesus amava é revelado no penúltimo versículo do livro, uma espécie de assinatura: "Este é o discípulo que dá testemunho dessas coisas e que as registrou. Sabemos que o seu testemunho é verdadeiro" (Jo 21.24). Isso significa que o autor do livro, o próprio escritor, era o discípulo a quem Jesus amava, ou seja, o apóstolo João.

Demorei a compreender essa autotitulação: *discípulo a quem Jesus amava*. Soou arrogante e presunçoso. Teria sido vaidoso? Pretensioso? Altivo? Fiquei algumas semanas com essas perguntas no coração. Como poderia alguém se referir a si mesmo de maneira tão orgulhosa? Alguns dias depois, percebi que a expressão era pontual. Não estava escrito: *o discípulo a quem Jesus mais amava*, nem ainda: *o único discípulo a quem Jesus amava*. Esse entendimento fez toda a diferença. Não se tratava do mais amado, nem do único amado, mas a expressão traduzia como João se percebia visto por Jesus. Em outras palavras, João passou a enxergar-se, referir-se, anunciar-se, descrever-se como era visto aos olhos de Jesus: *o discípulo a quem Jesus amava*. Não à toa ficou conhecido como *o discípulo do amor*. Suas epístolas transmitem o amor que percebeu receber de Jesus. Qualquer outro discípulo poderia ter se atribuído a mesma titulação.

Essa referência que João fez a si mesmo refletia o sentimento de todos ali. Estávamos protegidos com a opinião de como Jesus nos enxergava. E essa opinião sobre cada um de nós é cheia de compaixão, misericórdia, graça e amor. O sacrifício do Senhor na cruz provou isso. Os pensamentos dele sobre nós são pensamentos de paz, muito mais elevados que nossos próprios pensamentos. Cada um ali podia afirmar com segurança: *Eu sou o discípulo a quem Jesus ama!* Essa afirmação deixou de soar arrogante e tornou-se verdadeira e libertadora.

Mais impactante do que ouvir: "Você é amado de Jesus", é quando a própria pessoa conclui: "Eu sou amado de Jesus".

Cuidado na vida

Algumas mulheres caminhavam à beira de um rio que havia naquele local. Estavam saltitantes, brincando, pareciam adolescentes. Via-se no rosto delas a marca da satisfação e do regozijo. Também, pudera, viver ali era mais do que qualquer um poderia sonhar ou imaginar.

Em meio à alegria contagiante, começamos a conversar. Algumas delas eram as mulheres que tinham acompanhado e ajudado Jesus quando ele esteve na Galileia. Quem o via reinando soberanamente nos céus jamais poderia imaginar que um dia foi cuidado por tanta gente simples e comum.

A conversa com aquelas mulheres fez que a admiração por Jesus aumentasse, pois a vida dele impressiona a todos, seja qual for o ângulo de observação. Podemos olhá-lo como firme referência para o bem viver em qualquer área da vida. Ele viveu de maneira perfeita em tudo o que falou, olhou, tocou, ouviu e decidiu. Simples. Prático. Direto. Veio para nos ensinar e nos deixar uma herança para uma vida plena e abundante. Todo aquele que seguir seus passos estará em terreno seguro.

Curiosamente, tudo começou para ele como começa com qualquer outro ser humano. Jesus precisou receber o cuidado dos pais, pois era uma criança pequena e indefesa. José e Maria, desde que o menino era pequeno, o levaram para o templo com o objetivo de apresentá-lo ao Pai. Por orientação de Deus, fugiram para o Egito, a fim de evitar que Herodes matasse Jesus. O casal cuidava tão bem do menino que ele crescia e ficava forte, tinha muita sabedoria e era abençoado por Deus. À medida que conversávamos, os extraordinários personagens que compuseram a vida terrena de Jesus entravam em cena, narrando seus momentos com o Senhor.

Ficávamos impressionados ao ver que Jesus deixou-se ser cuidado mesmo quando adulto. Foi cuidado pelos anjos, por exemplo, após o difícil tempo de jejum, oração e tentação no deserto. Aliás, ele tinha esse serviço ao seu dispor se quisesse, mesmo que fossem necessárias mais de doze legiões de anjos. Ao contrário do serviço celestial, Jesus preferiu ser servido pelos humanos. Gente como ele. Gente de carne e osso. Gente com sentimentos e emoções. Gente com dores e sonhos. Por isso o impacto no momento de sua morte foi tão grande. Algumas mulheres também estavam ali, olhando de longe. Entre elas, Maria Madalena, Salomé e Maria, que era mãe de José e Tiago. Essas mulheres acompanharam e ajudaram Jesus quando ele esteve na Galileia. Além delas, estavam ali muitas outras mulheres que seguiram com ele para Jerusalém.

Ao observar com mais atenção os detalhes da vida de Jesus, percebemos que, além do cuidado voluntário e natural de quem o amava, o Senhor buscou cuidado no momento mais difícil de sua vida. Fez isso, aliás, com muita intensidade. A narrativa do período de oração no Getsêmani diz que por três vezes ele buscou os amigos e discípulos mais íntimos, clamando que ficassem com ele. Jesus estava tomado pelo pavor e pela angústia. Com a mesma força que se adiantava ao local para orar a Deus, retornava para ver se os amigos permaneciam com ele. Mesmo sendo Deus, Jesus expressou quanto precisava do conforto e do consolo dos amigos. Infelizmente, Pedro, Tiago e João dormiram. Mesmo assim, Jesus nos deixou clara a lição de que devemos procurar ajuda e cuidado em tempos de luta.

O olhar do Senhor para a vida refletia o grande valor da comunhão, da comunidade, da integração e da interdependência. Jesus disse *não* à autonomia, à independência, ao isolamento. Sendo essa sua maneira de ser e pensar, compadeceu-se com muita intensidade dos descuidados. Vendo ele as multidões, apiedou-se delas, porque estavam aflitas e exaustas, como ovelhas sem pastor. O choro dele diante do povo que rejeitou ser cuidado foi registrado: "Jerusalém, Jerusalém, você, que mata os profetas e apedreja os que lhe são enviados! Quantas vezes eu quis reunir os seus filhos, como a galinha reúne os seus pintinhos debaixo das suas asas, mas vocês não quiseram" (Mt 23.37).

Como não era um teórico conceitual, muito menos egoísta e fechado em si mesmo, Jesus exerceu o cuidado sobre os seus mais queridos, como os discípulos. Mesmo pregado na cruz, ao ver a mãe junto ao discípulo amado, disse Jesus: "Mulher, eis aí teu filho". Depois, disse ao discípulo: "Eis aí tua mãe". Dessa hora em diante, o discípulo a tomou para casa. Sim, Jesus cuidou do próximo, de todo aquele que se aproximou dele de coração aberto.

Concluímos nossa conversa lembrando que o Senhor recomendou o cuidado, quando perguntou a Pedro se o amava, aconselhando que cuidasse das suas ovelhas. Ou seja, uma das últimas orientações dele antes de subir aos céus foi que seus amados líderes e sucessores cuidassem uns dos outros — de você e de mim.

Esse princípio do reino de Deus deveria ser observado e vivido por todos aqueles que são chamados pelo seu nome e ainda vivem na terra. No céu, o cuidado uns pelos outros foi definitivamente incorporado ao coração de todos.

Devoto ou seguidor?

Em certo momento, deparei com um personagem muito conhecido. Ele havia sido tão admirado que inúmeros pontos geográficos importantes, como cidades e rios, além de incontáveis igrejas e monumentos espalhados pela face da terra, receberam seu nome. O olhar sereno, a fala mansa e a alegria marcante atraíram-me para uma conversa inesquecível.

Começamos a falar sobre como o Espírito Santo o havia capacitado a viver em santidade em sua vida terrena, assim como os dons fluíam na vida dele à medida que servia a todos de sua geração. O olhar dele brilhava quando se lembrava de histórias reais, especialmente de órfãos, velhos, viúvas, enfermos e tantos outros pequeninos a quem tivera o privilégio de servir de alguma maneira.

Contou-me que sua história de serviço havia começado por uma brincadeira. Ainda criança, ele caminhava com seu irmão mais velho por uma estrada que levava a um campo, quando avistaram um casaco velho e um par de sapatos masculinos muito gastos, ao lado da estrada. Ao longe viram o dono daqueles objetos trabalhando no campo. Como essa pessoa a que me refiro era o mais arteiro dos dois, sugeriu que eles escondessem os sapatos, para depois, quando o dono do calçado voltasse, e sem que visse os dois irmãos, eles ficassem assistindo à surpresa dele. O irmão mais velho alertou que aquilo não seria tão bom, pois, pela aparência das vestimentas, aquele homem deveria ser muito pobre. Então, depois de conversarem, pensaram em outra experiência. Em vez de esconder os sapatos, colocariam uma moeda de prata em cada calçado para ver o que o homem faria quando achasse o dinheiro. Foi o que fizeram.

Então, logo o homem voltou do campo, vestiu o casaco, calçou um dos sapatos, sentiu algo duro, tirou o pé de dentro e encontrou a moeda valiosa. Alegria e surpresa brilharam no rosto dele. O homem ficou olhando a moeda por um bom tempo. Olhou ao redor e não viu ninguém; então foi calçar o outro pé. Para sua grande surpresa, encontrou a outra moeda no outro sapato. Foi tomado de emoção. Ajoelhou-se e ofereceu, em voz alta, uma oração de agradecimento, na qual falou da esposa, que estava doente, sem que ninguém pudesse ajudar, e dos filhos, que não tinham o que comer. Agradeceu ao Senhor fervorosamente pela graça que veio de mãos desconhecidas e invocou as bênçãos do céu sobre aqueles que lhe deram a ajuda tão necessária. O menino e seu irmão ficaram escondidos até o homem ir para casa e foram tocados profundamente pela oração dele. Os dois sentiram um intenso calor no coração. Daquele dia em diante, o homem passaria a ajudar outras pessoas com todos os recursos que tinha. Assim, a vida dele mudou para sempre.

Ele sempre deixava muito claro que sua história de serviço tinha sido única e exclusivamente inspirada em Jesus. Sem Cristo na vida dele, nada daquilo teria acontecido. O homem tomava todo o cuidado para oferecer somente a Cristo todo o louvor, toda a glória e toda a honra. Faria isso para todo o sempre.

Mas, após sua morte, tinha acontecido um fenômeno que se repetia com tantos outros. Em vez de apontarem para o Senhor, apontaram a atenção para ele mesmo. Chamando-o de santo, como se fosse alguém diferente das demais pessoas, deixaram de dar a glória a Jesus e, erroneamente, o glorificaram. Essas pessoas que o apreciavam tanto passaram a ser conhecidas como seus devotos.

É muito curioso esse fenômeno da devoção: alguém que venera o santo, admira suas obras e feitos e faz pedidos a Deus em nome desse santo, pois acredita que ele está mais próximo e tem acesso mais direto ao Pai que o próprio indivíduo. E não para por aí. Faz até romarias rumo ao local em que o santo nasceu, viveu, ou que tenha alguma estátua em homenagem a ele. Contudo, essa pessoa não se torna um discípulo, não imita esse santo em tudo, inclusive na adoração a Jesus.

À medida que conversamos, ficou claro para mim que, na maior parte da vida, fui um devoto de Cristo. Admirava o caráter dele, apreciava as suas obras, considerava-o tão santo que até levava minhas orações a ele, assim como muitos romeiros. Mas poucos foram os momentos em que o segui a ponto de ser considerado seu discípulo. Agora, no céu, estava claro que nada tinha mais valor e faria mais sentido do que ser um genuíno e intenso discípulo de Jesus Cristo.

Amigo de verdade

Todos que eu encontrava me faziam sentir como se estivesse entre amigos. Esse era o sentimento que dominava o ambiente. Eis que começamos a conversar exatamente a respeito da amizade. Notamos que a Bíblia era muito rica em valorizar e ensinar a respeito do grande valor de um amigo. Um homem muito respeitado em seu tempo e reconhecido pela sua grande sabedoria, interveio. De maneira amigável, Salomão começou a falar:

— Sempre gostei desse assunto. Observei particularmente as relações humanas quando escrevi meus provérbios, sobretudo a respeito da figura do amigo. Percebi que o olhar do amigo alegra o coração e as boas-novas fortalecem até os ossos. Não deveríamos nos iludir quando o olhar não reflete a sinceridade, pois amigo de verdade tem olhar de aceitação e palavras de incentivo.

As palavras de Salomão foram dignas de verdadeira iluminação do Espírito Santo. No mesmo instante após a primeira palavra dele sobre amizade, muitos começaram a lembrar de diversos provérbios dele e teceram pequenas considerações. Está escrito: “O amigo ama em todos os momentos; é um irmão na adversidade” (Pv 17.17). Não se iluda com quem só está na hora da festa. Amigo de verdade está presente nos momentos mais difíceis.

Está escrito: "Quem tem muitos amigos pode chegar à ruína, mas existe amigo mais apegado que um irmão" (Pv 18.24). Não se iluda com centenas de "amigos" das redes sociais. Amigo de verdade é para poucos.

Está escrito: "Perfume e incenso trazem alegria ao coração; do conselho sincero do homem nasce uma bela amizade" (Pv 27.9). Não se iluda com o "faça o que você quiser". Amigo de verdade ajuda nas decisões importantes da vida.

Está escrito: "Não abandone o seu amigo nem o amigo de seu pai; quando for atingido pela adversidade não vá para a casa de seu irmão; melhor é o vizinho próximo do que o irmão distante" (Pv 27.10). Não se iluda com quem vira as costas. Amigo de verdade jamais abandona.

Está escrito: "Assim como o ferro afia o ferro, o homem afia o seu companheiro" (Pv 27.17). Não se iluda com quem só bajula. Amigo de verdade fala do mau hálito do outro.

Esses e outros ensinamentos sobre o assunto foram sempre muito válidos e úteis. Entretanto, durante nossa conversa, ficou claro que encontramos na pessoa de Jesus Cristo o padrão mais elevado, profundo, abrangente e acessível de amizade. A amizade de Jesus é do tipo "sem preconceitos". Como registrou Mateus, Jesus foi considerado amigo de publicanos e pecadores! A amizade de Jesus é do tipo que trata com toda a dignidade mesmo o traidor. No momento em que foi traído por Judas, Jesus, porém, lhe disse: "Amigo, para que vieste?". O chamou de *amigo*, mesmo sem ter sido correspondido. A amizade de Jesus é do tipo que se importa. Por isso Lucas registrou a ilustração que Jesus usou para mostrar sua própria sensibilidade de amigo:

> Suponham que um de vocês tenha um amigo e que recorra a ele à meia-noite e diga: "Amigo, empreste-me três pães, porque um amigo meu chegou de viagem, e não tenho nada para lhe oferecer". E o que estiver dentro responda: "Não me incomode. A porta já está fechada, e eu

e meus filhos já estamos deitados. Não posso me levantar e lhe dar o que me pede". Eu lhes digo: Embora ele não se levante para dar-lhe o pão por ser seu amigo, por causa da importunação se levantará e lhe dará tudo o que precisar. Por isso lhes digo: Peçam, e lhes será dado; busquem, e encontrarão; batam, e a porta lhes será aberta. Pois todo o que pede, recebe; o que busca, encontra; e àquele que bate, a porta será aberta.

Lucas 11.5-10

A amizade de Jesus é do tipo que tem uma palavra sábia, como também registrou o evangelista Lucas quando Jesus disse: "Eu lhes digo, meus amigos: Não tenham medo dos que matam o corpo e depois nada mais podem fazer. Mas eu lhes mostrarei a quem vocês devem temer: temam aquele que, depois de matar o corpo, tem poder para lançar no inferno. Sim, eu lhes digo, esse vocês devem temer" (Lc 12.4-5).

A amizade de Jesus é do tipo que se alegra em achar aquele que estava perdido. Quando Jesus conta a parábola da ovelha perdida que foi achada, relata que esse pastor — ele mesmo — "quando a encontra, coloca-a alegremente nos ombros e vai para casa. Ao chegar, reúne seus amigos e vizinhos e diz: 'Alegrem-se comigo, pois encontrei minha ovelha perdida'" (Lc 15.5-6).

A amizade de Jesus é do tipo sensível. Mesmo sabendo que seu amigo Lázaro seria ressuscitado, assim que chegou diante do túmulo dele Jesus chorou. Todos ao redor diziam quanto Jesus amava o amigo.

A amizade de Jesus é do tipo que se doa. Por isso ele declarou: "Ninguém tem maior amor do que aquele que dá a sua vida pelos seus amigos" (Jo 15.13).

A amizade de Jesus é do tipo que nos considera amigos. Como disse: "Já não os chamo servos, porque o servo não sabe o que o seu senhor faz. Em vez disso, eu os tenho chamado amigos, porque tudo o que ouvi de meu Pai eu lhes tornei conhecido" (Jo 15.15).

A amizade de Jesus é do tipo que "não se ilude". Como ele é muito verdadeiro em tudo o que faz, sabe que, embora tenha oferecido sua amizade a muitos, poucos foram os que corresponderam. Como havia dito: "Vocês serão meus amigos, se fizerem o que eu lhes ordeno" (Jo 15.14).

Desfrutar da amizade de Jesus que é plena e sem restrições, bem como da amizade uns dos outros aqui no céu, é uma bênção sem medida. Quem dera eu tivesse descoberto essa dimensão de vida desde meu tempo na terra!

Deixou tudo

Eu não sabia se estava acordado ou dormindo, mas tudo ao redor parecia um sonho indescritível. A palavra *paraíso* era de fato pequena diante de tudo o que estava ao meu redor. Ainda não consigo descrever com devidas clareza e riqueza tudo o que passei a perceber no céu. Dos mais diferentes efeitos da luz ao absoluto conforto térmico, tudo era perfeito.

Muitas cenas eram de perder o fôlego. Mas uma que não conseguia deixar de apreciar era a do trono real. O Senhor assentado de maneira sublime, vestido de glória, cingido de majestade, emanando uma luz mais intensa que a do Sol — sem incomodar minha retina. Eu conseguia ver tudo sem piscar. Minha mente procurava sem cessar palavras para qualificar o Senhor assentado em seu trono: maravilhoso, majestoso, glorioso, admirável, extraordinário, excepcional, descomunal, assombroso, estupendo, singular, espantoso. Essas palavras e outras que poderia citar eram pequenas demais diante do quadro.

À medida que a consciência da grandeza e do poder do Senhor cresceu em mim, fui tomado por uma súbita alegria. Novamente fui tomado por um impulso e lá estava eu ajoelhando-me em profunda gratidão. Tanta grandeza deixada para trás por amor a mim e a tantos outros irmãos e irmãs. Era claro nosso não merecimento. "Como agradecer? Como retribuir? Como recompensar?", comecei a falar. Juntaram-se a mim algumas pessoas, em profunda alegria. Em reverência, todos se ajoelhavam. Em poucos segundos, éramos uma multidão, um grupo de perder de vista. Instrumentos angelicais iniciaram os primeiros acordes, preparando um grande cântico que nascia no coração de todos. Em uníssono, começamos a cantarolar notas espontâneas que faziam um grande conjunto coral. Entre consonâncias e dissonâncias, parecia uma brincadeira musical séria, benfeita, impecável. Estávamos no introito de uma canção que nascia em adoração ao Cordeiro Santo de Deus. De repente, cantamos:

> Deixou de soprar o fôlego de vida para receber oxigênio pelo cordão umbilical.
> Deixou de colocar o Universo na palma de sua mão para ter a mão formada no ventre da jovem mãe.
> Deixou agradáveis perfumes dos céus para nascer em meio ao fétido estábulo.
> Deixou de assentar-se no sublime trono para dormir na manjedoura improvisada de palha.
> Deixou de emitir voz de retumbante trovão para exprimir-se através do choro rouco recém-nascido.
> Deixou o aplauso de toda a criação em troca de ser levantado pelas mãos de um velho no templo.
> Deixou de comandar os exércitos celestiais para fugir da matança, ainda bebê, carregado no colo.
> Deixou sua posição de quem tudo sabe (e como sabe!) para sentar-se no banco escolar da sinagoga.
> Deixou as riquezas imarcescíveis para viver do rendimento de um simples marceneiro.
> Deixou de caminhar em ruas de ouro para andar em estradas poeirentas.
> Deixou festas no paraíso para estar em jantares com pecadores.

Deixou a adoração de serafins e querubins para ouvir desaforos e provocações.
Deixou de tocar as estrelas para tocar nossas feridas.
Deixou de chamar as estrelas pelo nome para chamar, pelo nome, muita gente humilde.
Deixou coros celestiais para ouvir sussurros e gemidos de miseráveis.
Deixou de ser servido pelos anjos para servir aos marginalizados.
Deixou a posição de Senhor para tornar-se o mais humilde servo.
Deixou todo o conforto do palácio para enfrentar as dores mais intensas.
Deixou de viver acima e distante para viver bem pertinho no nosso meio.
Deixou de agir como Deus, sem deixar de ser Deus, para agir como gente comum.
Deixou seu trono alto e sublime para fazer amigos.
Deixou seu sangue ser derramado para fazer irmãos.
Deixou sua vontade própria para tomar do cálice.
Deixou-se morrer para nos ressuscitar.
Deixou o que não precisava deixar.
Deixou pra trás o lugar onde todos desejariam estar.
Deixou tudo para não nos deixar.
Deixou tudo para nos salvar!

Ao final da letra, repetíamos muitas vezes: *Deixou tudo para não nos deixar. Deixou tudo para nos salvar!* A alegria só aumentava. Para a Trindade santa, nosso valor era muito superior a toda aquela glória que contemplávamos. Ele deixou tudo aquilo por nós. Inacreditável. Bradei:

— Inacreditável!

Inacreditável parecia uma palavra muito estranha para ser dita nos céus, mas fez sentido em meio àquele extravagante amor por nós.

Aritmética de Jesus

A maneira de pensar do reino de Deus empolgava todos no céu. Os que estavam lá havia mais tempo tinham muito mais exemplos da diferença dessa lógica do reino. Um jovem muito sabido e serelepe complementou a conversa com uma pergunta provocativa:

— Vocês sabiam que a maneira que Jesus faz contas é muito diferente de tudo o que aprendemos na terra?

A pergunta gerou muita curiosidade. Ele continuou:

— As quatro operações básicas na matemática de Jesus fazem milagres em nossa vida. Fazem novas todas as coisas. Cristo adicionou sua vida em nós, dividiu nossos pesos, subtraiu nossos pecados e multiplicou sua alegria e paz nos corações.

Todos deram risada da brincadeira da aritmética de Cristo. Mas, de fato, a matemática do reino de Deus segue outra lógica: dividir para multiplicar, dar para receber, humilhar-se para ser exaltado, esvaziar-se para ser cheio. Segundo Jesus, os últimos serão os primeiros, o maior deve servir ao menor. Para o Senhor, multiplicar é ampliar, e dividir é compartilhar.

Todos aqueles que estão na terra ainda precisam aprender a aritmética do reino: dividir a alegria para multiplicar os sorrisos, dividir as cargas para multiplicar a força na caminhada, dividir os segredos para multiplicar os amigos, dividir as preocupações para multiplicar o cuidado. Olhando pela ordem invertida, é importante aprender a multiplicar a justiça para dividir a paz, multiplicar a colheita para dividir o pão e o vinho, multiplicar as orações para dividir as bênçãos espirituais, multiplicar atos generosos para dividir o bem-estar com todos.

A maravilhosa lógica do reino de Deus nos ensina a ter menos e a ter mais. Em outras palavras, precisamos menos de algumas coisas menores para alcançar o mais do que tem mais valor. Menos incredulidade e mais fé. Menos ansiedade e mais serenidade. Menos lamento e mais gratidão. Menos reação e mais ação. Menos promessas e mais realizações. Menos hipocrisia e mais honestidade. Menos superficialidade e mais profundidade. Menos contradição e mais consistência. Menos rotinas maçantes e mais momentos surpreendentes. Menos reuniões sociais e mais encontros de amizade. Menos distância e mais abraços. Menos ressentimento e mais perdão. Menos críticas e mais elogios. Menos artificial e mais natural. Menos dissimulação e mais assertividade. Menos confusão e mais coerência. Menos *fast food* e mais comunhão à mesa. Menos para mim e mais para nós. Menos falar e mais ouvir. Menos quantidade e mais qualidade. Menos golpes no ar e mais tiros certeiros. Menos desperdício e mais sustentabilidade. Menos melindre e mais resiliência. Menos indiferença e mais empatia. Menos por uma vida sobrevivente e mais por uma vida relevante. Enfim, menos de nós mesmos e mais de Cristo em nós.

Maravilhosa lógica de Deus, que nos salva e nos dá esperança.

Descansando na mansidão

A sensação de mansidão ao lado de Jesus é absolutamente total. O ambiente de segurança, tranquilidade e descanso é permanente. Todos ali estavam serenos e calmos, sem qualquer tipo de perturbação. Enquanto olhava ao redor e pensava nessas coisas, Jesus aproximou-se, afirmando:

— Essa mansidão sempre esteve disponível, desde que você me conheceu na terra.

Espantei-me mais uma vez pelas frases que mostravam como nada em meu pensamento podia escapar da onisciência dele. A leitura, por parte dele, de tudo o que se passava em minha mente e em relação às minhas emoções não parecia algo invasivo, mas reconfortante. Existe alguém que me conhece em profundidade e me quer bem. Respondi à afirmação do Mestre com outra pergunta.

— Como assim, Senhor? Quer dizer que essa mansidão que temos aqui está disponível a todo aquele que ainda não chegou até nós?

Com aquele largo sorriso no rosto, afirmou:

— Isso mesmo. Deixe-me explicar melhor.

Imediatamente fomos cercados por uma pequena multidão, que se sentou na relva aguardando o ensinamento. Jesus continuou, voltando-se a todos ali.

— Certa vez declarei a todos aqueles que estivessem cansados e sobrecarregados que viessem a mim. Andar em minha direção era o primeiro desafio. Prometi que lhes daria alívio imediato. Jamais deixei de cumprir essa promessa.

A troca de olhares confirmava a afirmação. Todos tinham vivenciado experiências de alívio quando andaram na direção de Jesus em tempos de angústia e dor. Assim como alguém que está com muita dor sente alívio instantâneo quando é atendido em um pronto-socorro, Jesus tinha reservado doses de alívio para os cansados e sobrecarregados. Esse alívio vinha de várias formas, mas, em geral, por meio da renovação da esperança. Para quem está na escuridão, uma pequena luz aponta que há esperança. Jesus continuou:

— Muitos dos que se achegaram a mim não atentaram que meu convite era para que continuassem comigo. Eu disse para virem a mim, mas também para aprenderem comigo. Para aqueles que andaram na minha direção, fiz o convite para que prosseguissem comigo. Caminhar até mim era apenas o primeiro passo. Andar ao meu lado era o projeto de vida. Gostaria que todos aprendessem comigo, porque sou manso de coração. Minha mansidão está disponível não somente aqui no céu, mas para todo aquele que quer ser meu discípulo, aprendendo junto a mim.

De fato, quando sofremos aflições, passamos por perdas relevantes, falimos em iniciativas, quebramos a cara em empreendimentos, somos atacados por pessoas ou surpreendidos por fatalidades, corremos o risco de ser invadidos por sentimentos e pensamentos de derrota e desânimo, nossa alma pode se tornar refém da ansiedade e ficar muito agitada. É nesse contexto que mais precisamos da virtude da mansidão de Jesus, que nos livra em tempos de adversidade. Ela é necessária para esperar o agir de Deus, para não nos deixar dominar pelo medo, para blindar o coração contra as angústias que nos invadem nos tempos de tempestades. Jesus prosseguiu:

— Algumas adversidades que vivenciei mostraram os fundamentos da minha mansidão. Logo depois que fui batizado, vocês se lembram de que fui conduzido pelo Espírito ao deserto e, lá, tentado diretamente por Satanás. O ataque do inimigo foi frontal, intenso e direto. Ele queria desestabilizar meu coração. Provocou-me diversas vezes, ao questionar: "Se és Filho de Deus...". O que ele queria? Desestabiliza-me atacando agressivamente a convicção da minha identidade, e faz isso logo após a afirmação do meu Pai durante o batismo: "Este é o meu Filho amado, de quem me agrado". A declaração do Pai fora ouvida por todos que estavam no meu batismo. Foi, aliás, uma experiência tremenda, uma declaração pública que não deixava dúvidas a respeito da minha filiação. Ela gerou estabilidade, produziu conforto, trouxe segurança e me concedeu tranquilidade interna. Não há mansidão para o coração que não crê ser filho amado de Deus.

Todos os que estavam sentados ali tinham a profunda consciência de ser filho de Deus. Se não fossem, não estariam ali, com certeza. E que bom saber que somos filhos de Deus. Como foi possível não ter essa convicção plena na terra? Como andávamos distraídos e não percebemos essa verdade tão transformadora e que traz mansidão aos corações!

— Mas não é só isso — continuou Jesus. Todos se lembram de quando eu estava no barco com meus discípulos e, de repente, fomos acometidos por uma séria e intensa tempestade? Eles entraram em pânico. Eu, porém, estava dormindo tranquilamente. Fui acordado. Levantei-me, repreendi os ventos e o mar. Tudo se acalmou. Agora peço que entendam o que tinha acontecido: os discípulos perderam a mansidão e entraram em desespero, pois não tiveram confiança de que todas as coisas e situações, nos céus e na terra, estão debaixo da vontade e poder de Deus. Não há mansidão para o coração que não crê na absoluta soberania de Deus.

Começamos a dar risadas de nós mesmos. Tudo o que nos cercava mostrava o poder absoluto de Deus, sua plena autoridade sobre o Universo, sua grandeza e força sobre toda a criação. Não havia qualquer dúvida. Mas... como nossa fé era frágil e vulnerável! Estava explicado por que tanta ansiedade, insegurança, desespero. Jesus acrescentou:

— De todas, a maior adversidade que enfrentei foi a cruz. Minha experiência no Getsêmani mostrou o tamanho da batalha que enfrentei. Clamei intensamente. Suei sangue. Cheguei até a pedir que o cálice fosse afastado de mim. No fundo sabia que isso jamais poderia acontecer, pois estava sobre meus ombros o peso da salvação de toda a humanidade. Mas, após recompor-me dessa luta, segui em silêncio todo o caminho da acusação, passando por julgamento e sentença até a morte. Fui levado como ovelha ao matadouro; e, como um cordeiro mudo perante o seu tosquiador, não abri a boca. Não estava mudo por medo, mas por causa de minha mansidão. Sabia que era lá o meu lugar. Quando estamos no lugar para o qual fomos designados, não há espaço para medo, insegurança, agitação, ansiedade. Não há mansidão para o coração que está fora do propósito e da missão de Deus.

Com as palavras de Jesus, tudo fica muito claro. Quando algum desses três fundamentos nos falta, perdemos a mansidão e nos tornamos reféns das adversidades. Assim como Cristo, devemos aprofundar as raízes na verdade de que somos filhos de Deus, lembrar-nos sempre da grandeza e do poder do Senhor, em todas as circunstâncias, e nos submeter aos propósitos do Pai para cada um. Aprender com Cristo é o caminho para encontrar descanso completo e verdadeiro para a alma. Ali no céu, desfrutamos dessa mansidão por completo. Como teria sido maravilhoso desfrutar disso desde o dia em que conheci Jesus!

Descansando na humildade

O lugar enchia-se de mais gente e de incontáveis seres celestiais. A voz mansa e amorosa de Jesus atraía grandes multidões. Sempre tudo muito dinâmico, ordenado, entusiasmado. Havia a euforia do momento, mas ela era seguida do súbito silêncio resultante da atenção e da expectativa. O ruído era formado pelo movimento dos anjos, pelos passos apressados da multidão, pelos abraços e beijos dos que se encontravam. O silêncio que se seguia era cercado do real interesse de uns pelos outros, movido pela apreciação da ocasião.

Calmamente, Jesus olhava para todos, atento para que ninguém deixasse de se acomodar. Com um visível contentamento estampado no rosto diante de seu povo, o Senhor começou:

— O descanso permanente que temos aqui poderia ter sido vivido por todos desde o primeiro dia em que me conheceram. Muitos de vocês experimentaram com profundidade as bênçãos espirituais que conquistei. Aqueles que não as experimentaram é porque vieram até mim, mas caminharam pouco ao meu lado para aprender junto de mim.

Todos trocavam olhares com ar de surpresa. Muito do que experimentamos ali no céu já poderia ter sido experimentado na vida terrena. Mas porque será que não usufruímos dessas bênçãos na terra? Quais foram as barreiras que nos impediram? Jesus prosseguiu:

— Todo aquele que aprendeu junto a mim a mansidão necessária para os tempos de ventos contrários também foi convidado a aprender a humildade para os tempos de ventos a favor.

Que interessante. Quando as coisas vão muito bem, corremos o risco de nos vangloriar e de pensar que as conquistas foram fruto de nossa capacidade. Esquecemos do quanto precisávamos e dependemos de Deus. Resultado: descarrilamos em cansaço e sobrecarga mais uma vez, sem nem sequer saber.

— Enquanto estive no meio de vocês na terra, embora mantivesse minha natureza divina, vivi como um ser humano. Esse era o plano e assim foi executado. E, como homem, vivi integralmente submisso à vontade do Pai. Desci do céu não para fazer a minha própria vontade, e sim a vontade daquele que me enviou. Não há humildade para o coração que não obedece ao Pai.

Ainda bem que Jesus foi obediente ao Pai, pois a vontade de quem o enviou era que ele não perdesse nenhum de todos os que lhe deu; pelo contrário, ele nos ressuscitaria no último dia. De fato, ali estávamos, ressuscitados. Jesus humilhou-se, tornando-se obediente até a morte na cruz. Por causa da humildade dele, a vontade de Deus foi cumprida e fomos salvos. Louvada seja a humildade de Jesus perante o Pai. As palavras do Senhor continuavam penetrando o nosso coração.

— Não somente agi em humildade perante o Pai, mas andei em humildade perante todos vocês. Desci do céu e tomei a forma de servo sem esperar nada em troca. Um pouco antes de minha morte, quando estava reunido com os discípulos, fiz questão de lavar os pés de cada um. Vocês sabem que esse era um serviço feito pelos escravos. Fiz isso para ensinar todos a fazer o mesmo. Sendo eu Senhor e Mestre, lavei os pés deles para que todos aprendessem a servir uns aos outros. O caminho da humildade é trilhado à medida que cada um serve o outro. Simples e direto, fácil e acessível a qualquer um. Não há humildade para o coração que não serve ao outro.

Meu pensamento estava a mil. Comecei a lembrar de todas as pessoas que reconheci serem humildes, não pelo tom da voz, mas por servirem ao outro de coração sincero e espontâneo. Os arrogantes, por sua vez, queriam ser servidos. Exerciam a arrogância de maneira sutil, omitindo-se da necessidade do outro ou, de maneira ostensiva, oprimindo outras pessoas. Eram orgulhosos, uns mais, outros menos. Todo orgulhoso cai no cansaço e na sobrecarga. Jesus continuou:

— Como não fiz qualquer milagre, maravilha, tampouco provi cura no poder da minha força, tinha total consciência de que tudo vinha do Pai. Por isso, disse de maneira tão enfática que quem a si mesmo se exaltar será humilhado, e quem a si mesmo se humilhar será exaltado. Tinha a completa compreensão de que, em minha natureza humana, todo o poder que emanou por meio de minhas palavras e de minha vida vinha de Deus. De fato, tudo me foi entregue por meu Pai. Eu sabia que toda a autoridade no céu e na terra havia sido dada a mim pelo Pai. Não há humildade para o coração que pensa ter em si mesmo a fonte de poder e autoridade, capacidade e habilidade.

Jesus não se deixou confundir. Ele ofereceu toda a glória somente ao Pai. Nenhuma altivez, orgulho ou soberba contaminou o coração dele. Porque ele se humilhou, Deus o exaltou sobremaneira.

Ali no céu tudo existia em plena luz, consciência, clareza. Não havia cansaço nem sobrecarga, mas descanso permanente, pois todos tinham a plena humildade perante Deus, obedecendo-lhe e servindo aos irmãos.

Exótica e extravagante

Como já relatei, tive a alegria de encontrar nos céus João Batista, um homem cuja figura na terra poderia ser descrita como exótica e extravagante. Em vida, os gestos e as atitudes dele refletiam uma personalidade segura, sem qualquer preocupação com o que os outros pensavam. Estava acostumado a confrontar as fortalezas mentais que se levantam contra o conhecimento do Senhor. Falava como pensava. A voz naturalmente amplificada era acostumada a pregar para uma multidão. O tom sempre desafiador fazia que todos saíssem da zona de conforto. A expressão sincera de João Batista alcançava os corações. Firme e convicto na exposição de suas convicções, ao mesmo tempo amoroso e gentil no trato com todos, ele pregava o arrependimento de forma rasgada. Por causa da unção que estava sobre ele, rapidamente multidões rendiam-se à verdade de que eram pecadoras e que precisavam da misericórdia do Senhor. Todo o carisma de João Batista estava a serviço do Deus que ele amava profundamente.

A conversa com ele foi muito divertida. O bom humor dele me causou espanto, pois eu imaginava alguém muito duro. Mas, ali no céu, tanto o corpo como o temperamento estavam glorificados, redimidos, transformados ante a imagem perfeita de Cristo. Temos, cada um, nossa própria identidade, mas todos levamos a marca do caráter ilibado de Cristo. Todos ali refletiam a perfeita imagem do Deus invisível, a exata expressão de Deus Pai.

Fui percebendo verdades no relato dele que deveriam ser compreendidas por todo líder que se levanta em nome do Senhor. João Batista tinha a clara percepção de que fora fruto da oração de alguém. O próprio anjo do Senhor dissera que a oração de seu pai, Zacarias, havia sido ouvida e que sua mãe, Isabel, daria à luz um filho.

O testemunho que contemplou desde o período da infância foi muito consistente. Trouxe prazer e alegria aos pais, e muitos se regozijaram desde o nascimento dele, conforme fora predito pelo anjo do Senhor. Como estava predestinado a uma grande missão, desde pequeno João Batista foi separado, era disciplinado e cheio do Espírito Santo. Desde o ventre materno manifestou a presença do Espírito Santo. Não bebeu vinho nem bebida forte, vestia-se com pele de camelo e um cinto de couro e alimentava-se de gafanhotos e mel silvestre. Exótico ou não?

Ao longo do ministério, foi muito focado e frutífero na essência do chamamento. Converteu muitos dos filhos de Israel ao Senhor, seu Deus, com a mensagem para que se arrependessem porque estava próximo o reino dos céus. Gente de toda a Judeia e da circunvizinhança do Jordão vinha até ele para ser batizada no rio Jordão, confessando os pecados publicamente.

Sobre a vida de João Batista estavam o espírito e o poder do profeta Elias, para converter o coração dos pais aos filhos e os desobedientes à prudência dos justos, habilitando um povo preparado para o Senhor. Preparou o caminho para o Messias que estava por ser revelado.

Desde criança foi sensível a Jesus. Estremeceu no ventre da mãe quando Maria a visitou. Também foi muito sensível no momento do batismo, a ponto de sentir-se indigno de batizar o Santo de Israel, o Cordeiro de Deus que tiraria o pecado do mundo.

Mas, de toda a conversa que resultou no resumo dessa linda história dele, o que mais me marcou foi sua profunda consciência de que somente Deus merecia toda a glória. Sim, João Batista em todos os dias de seu ministério reconhecidamente popular jamais buscou a glória para si mesmo. Ao contrário, declarou de coração: “É necessário que ele cresça e que eu diminua” (Jo 3.30).

Anjos

A todo lugar que eu ia, lá estavam eles. Dispostos em miríades, sempre muito alinhados, organizados e educados, colocavam-se à disposição dos remidos do Senhor. Ao ouvi-los tocar músicas e cantar, brincávamos entre nós, dando risada e comentando: *isso é que é música angelical*! Fazendo cortejo em momentos de gala, ou circulando ao redor do trono, cantando a santidade do Todo-poderoso, os anjos levavam beleza a todo o ambiente do céu.

Entre tantos arcanjos, serafins e querubins, conhecíamos somente dois pelo nome: Miguel, que fora destacado como guardião do povo de Israel, e Gabriel, portador de tantas mensagens importantes ao longo da História. Ambos apontam, por meio de seus próprios nomes, toda a glória somente para Deus. Miguel significa "quem é como Deus?" e Gabriel significa "herói de Deus".

Vê-los voando de um lado para o outro, servindo ao povo de Deus ou simplesmente cantando, fez-me pensar como esses anjos foram importantes na vida de Jesus na terra. Exerceram diversas funções como comunicadores de boas-novas, ajudando em momentos de necessidade, ou se dispondo a guerrear quando necessário.

Antes do nascimento de Jesus, Deus enviou o anjo Gabriel a Nazaré para anunciar a Maria que ela ficaria grávida pelo poder do Espírito Santo. Sabendo que seria difícil para o noivo dela, José, compreender, Deus enviou até ele um anjo em sonho, a fim de revelar tudo o que estava acontecendo com a noiva virgem. Logo depois do nascimento de Jesus, uma grande multidão do exército celestial apareceu diante de alguns pastores que estavam nos campos próximos a Belém, louvando a Deus pela vinda do Salvador. Depois da visita dos magos que vieram do oriente, um anjo do Senhor apareceu em sonho a José para orientá-lo a fugir para o Egito, evitando a morte do menino Jesus. Tempos depois, com a morte de Herodes, novamente um anjo apareceu em sonho a José para dizer que retornassem à terra de Israel.

Logo no início do ministério público de Cristo, durante a tentação, Satanás provocou Jesus para que se jogasse da parte mais alta do templo a fim de provar que seria socorrido pelos anjos. Jesus entendeu claramente que a atitude seria como duvidar de Deus e não fez o que o tentador queria. Em seguida, logo depois da tentação, os próprios anjos foram servir a Jesus, pois ele estava com fome após os quarenta dias de jejum.

Jesus sabia que uma grande quantidade de anjos estava à sua disposição. Um pouco antes de se entregar para a morte, ele orou com fervor no monte das Oliveiras. Em meio à luta interior, apareceu-lhe um anjo do céu para fortalecê-lo. No momento de sua prisão, citou que o Pai poderia enviar mais de doze legiões, ou seja, mais de 72 mil seres angelicais. Ele tinha total segurança da proteção do Pai.

No sábado após a morte de Jesus, sobreveio um grande terremoto enquanto um anjo do Senhor descia dos céus, aproximando-se do sepulcro onde estava o corpo de Jesus, rolando a pedra da entrada e sentando-se nela. Os guardas tremeram de medo e ficaram como mortos. Esse anjo anunciou às mulheres: “Ele não está aqui; ressuscitou”. Ao final de quarenta dias, Cristo foi elevado aos céus diante dos olhos dos discípulos, até ser encoberto por uma nuvem. Quando aqueles homens e mulheres ainda estavam com os olhos fixos no céu, dois anjos surgiram diante deles para anunciar: "Este mesmo Jesus, que dentre vocês foi elevado aos céus, voltará da mesma forma como o viram subir". Sabemos ainda, por meio da revelação dada ao apóstolo João na ilha de Patmos, que os anjos estarão muito ativos na volta de Cristo. Sem sombra de dúvida, apesar de tudo o que já estávamos vendo nos céus, o dia da volta de Cristo será apoteótico, marcado pela magistral presença dos anjos.

Assim como o Pai pôs os anjos à disposição de Jesus, ele os envia para nos servir. De fato, eles são espíritos ministradores enviados para servir a favor dos que hão de herdar a salvação. Aprendi que nunca devemos orar a eles, pois Cristo é o único mediador entre Deus e as pessoas e é Deus quem aos anjos dá ordens a nosso respeito. Muito menos devemos adorá-los, pois eles não são divinos e também adoram somente a Deus. Porém, podemos nos alegrar no Senhor, que sempre cuidou de nós com todos os recursos dos céus, mesmo quando eram invisíveis aos nossos olhos. Afinal, foi Deus quem enviou seu anjo para nos proteger na caminhada e nos fazer chegar ao lugar que ele já nos preparou.

Só uma mente brilhante e genial como a do Todo-poderoso poderia pensar em criar anjos de maneira tão especial. Sem sombra de dúvida, os anjos combinam com o céu.

Ouvindo histórias

Jessé, pai de Davi, sentou-se na praça feita de ouro para começar a contar histórias sobre seu filho. Em pouco tempo, muita gente, interessada no relato daquelas memórias, o cercou. Ele começou a narrativa:

— Era tempo de guerra. Dois exércitos enfileirados, cada qual olhando o respectivo adversário na certeza da vitória. Entre eles havia um vale, cuja planície despertava neles os planos mais ardis de ataque. De um lado, um comandante valente e experiente, chamado Saul, havia sido escolhido pelo povo de Israel para reinar. Do outro, um exército cheio de ódio e indignação por recentes derrotas sofridas era capitaneado por um gigante guerreiro chamado Golias. Muitas batalhas daquela época resolviam-se em duelos. Foi exatamente isso que essa criatura assustadora fez. Repentinamente, destacou-se à frente de todo o batalhão e desafiou o exército de Israel. Aqui começa a primeira dimensão da guerra, a primeira dimensão da vida: a dimensão da alma.

Jessé prosseguiu com o relato e explicou quanto aquela postura de Golias despertara medo, angústia, tristeza, pavor, dor e decepção nos israelitas. A vitória estava sendo conquistada pelo inimigo no campo da alma, a dimensão que engloba o conjunto das emoções, do raciocínio e da própria decisão. Naquela situação, ela tornara-se fragilizada. O pai de Davi continuou a relatar os detalhes daquele episódio tão conhecido e marcante para todos.

— A alma de cada um dos soldados estava sendo contaminada por mentiras e medos. A autoconfiança era substituída pela insegurança; a automotivação, pelo incontrolável desejo de fuga. Eles estavam tão confusos que não conseguiam perceber quanto sua alma estava abatida. Foi quando, de repente, surgiu um novo personagem no contexto. Davi, meu filho.

Davi, contou-nos Jessé, era conhecedor dos caminhos que fortaleciam a alma.

— Certa vez, quando estava muito abatido, disse a si mesmo: "Por que você está assim tão triste, ó minha alma? Por que está assim tão perturbada dentro de mim? Ponha a sua esperança em Deus! Pois ainda o louvarei". Assim, a esperança e a fé em Deus o faziam vitorioso por dentro. Quando chegou àquele campo de batalha, Davi foi ao rei e lhe disse que ninguém, em especial o rei, precisava desfalecer-se no interior, pois enfrentaria aquele "incircunciso". Como era um vitorioso de alma, ele não estava afetado pelas ansiedades e pelos medos do ambiente. A segurança dele repousava na lembrança clara e verdadeira das intervenções que Deus pessoalmente já havia feito em sua vida. E essa era a segunda dimensão da guerra, a segunda dimensão da vida: a espiritual.

Jessé continuou, explicando que, enquanto, na alma, Davi apresentava um componente diferenciado, partindo da memória de um Deus fiel, interventor, forte e poderoso, no espírito ele tinha fé e esperança suficientes para impulsioná-lo em direção ao confronto. Em seguida, começou a explicar que não se tratava apenas das duas dimensões que mencionei, mas, também, da terceira dimensão da vida: o mundo visível.

— A qualificação dos guerreiros não consistia apenas em ser vitorioso de alma e usar de armas espirituais. Eles precisavam manejar bem as armas que usariam na dimensão física da batalha. No primeiro instante, Saul vestiu Davi com sua própria armadura. Na cabeça, pôs um capacete de bronze e o vestiu com uma couraça. Davi pegou a espada e tentou andar. Não conseguiu se mexer. Por nunca ter usado tudo aquilo, sentiu-se muito desconfortável. Assim, decidiu imediatamente retirar aquela armadura, tomou o cajado, escolheu a dedo cinco pedras lisas do ribeiro e as colocou no alforje de pastor. Pegou a funda e foi para o campo de batalha. Sem perder muito tempo, Davi atirou uma pedra com precisão contra a testa do gigante, que caiu com o rosto no chão.

Jessé deixou claro que aquele foi o momento mais importante da guerra. Se Davi se detivesse nas dimensões espirituais e da alma, a batalha estaria perdida. Talvez um desavisado, empolgado com o resultado da queda do gigante, teria se voltado ao seu povo e comemorado a vitória com euforia. Mas a vitória ainda não havia sido consumada. Muitos erram nesse momento. Derrubam o gigante, mas se esquecem de matá-lo. Davi olhou para a própria mão e lembrou-se de que não tinha espada. Não teve dúvidas. Correu e, com a própria espada de Golias, cortou o pescoço do adversário. Assim, Davi se mostrou aplicado na dimensão visível, ousado na dimensão espiritual e destemido na dimensão da alma.

Nesse momento, uma grande salva de palmas das pessoas que ali estavam ouvindo a história encheu os céus, mas o entusiasmo não partiu apenas delas, pois, entre os anjos celestiais, irrompeu um barulho santo, de festa, de alegria. Celebrávamos a vitória de Jesus sobre todos os nossos inimigos. Todos ficaram debaixo de nossos pés por causa da vitória de Jesus na cruz. Uma linda dança formou-se. Pares, trios e diversos outros grupos entrelaçavam-se em euforia. A música vinha de todos os lugares. Instrumentos de percussão ditavam o ritmo e todos seguiam o compasso. Alguns que estavam no meio do povo logo após a vitória de Davi sobre Golias lembravam-se da mesma alegria que os tinha invadido naquele dia inesquecível. Nossa memória foi invadida por todas as lembranças dos inúmeros Golias que vencemos na vida pela força do Senhor. À medida que nos lembrávamos, oferecíamos mais glórias e louvores a Deus. Os cantos e contracantos foram tornando-se naturalmente uma só voz. Em uníssono cantávamos: *Ao Pai pertence a soberania! Ao Filho pertence a vitória. Ao Espírito Santo pertence a força! Glória ao Pai, ao Filho e ao Espírito Santo!*

Nada temerei

A sensação de completa segurança no ambiente dos céus, tanto do ponto de vista físico quanto, principalmente, do emocional, é marcante. A ausência absoluta de qualquer tipo de ansiedade ou medo é uma experiência vivificante. Assim como quando estamos saciados nos esquecemos por completo de como é ter fome, aquela segurança nos fazia esquecer de como era sentir medo.

Com esse assunto em pauta, reuni-me com um grupo de irmãos que estavam entre os milhões que haviam sido libertos da escravidão do Egito, sob a liderança de Moisés. Eles me contaram que, quando o povo de Israel saiu do Egito, ainda havia marcas profundas dessa terrível experiência passada na terra opressora. O tempo da escravidão trouxe muita insegurança, pois era evidente a fragilidade do povo diante dos poderes e gigantes que os dominavam. A autoestima fora destruída e a confiança, despedaçada. A incerteza cresceu tanto que fez sombra em tudo o que passaram a ver na caminhada. Lembraram-se de que, quando enviaram os doze espias para examinar a terra prometida, somente dois tiveram a confiança de que Deus os livraria de todas as barreiras. Os outros dez afirmaram que o povo daquela terra era mais forte do que eles, pois, aos seus olhos, sentiam-se muito pequenos! Tudo aquilo nos levou a conversar sobre a questão do medo.

Era muito claro que o medo entrou no coração da humanidade logo após o ato de desobediência, quando Adão e Eva esconderam-se — por medo. De fato, o pecado trouxe terríveis distorções na capacidade humana de crer e descansar em Deus, pelo simples fato de termos nos tornado indignos de confiança. A afetação da alma distorceu nossa visão de confiança no Senhor e nossa capacidade de ter esperança. Pois era assim que os dez espias se sentiam, em profundo desespero, sem esperança.

O medo passou a ser sustentado e multiplicado pela influência da sociedade, pois o povo começou a reclamar, e também pela influência das falsas notícias que os dez desesperados espalharam. Criou-se um clima de pânico, que levou todo o povo a crer que estava destinado à morte. Cairiam novamente nas garras de um povo tirano. Perderiam seus sonhos, bens, família, liberdade. O medo é multiplicado pelos comentários sem fim. Pais ministram insegurança aos filhos. Líderes apavorados provocam reações descontroladas nos liderados. A conta era desigual: dez pessoas espalhando desconfiança contra dois que tentavam transmitir segurança.

Nesse momento, olhamos para o lado e lá estavam Josué e Calebe, os dois espias que não se mantiveram debaixo do jugo do medo. Ao contrário, o destemor veio porque eles não se concentraram em pensar como eram aos próprios olhos ou aos olhos do inimigo e se fixaram no que eram aos olhos de Deus. Não precisaram se sentir pequenos; eles eram pequenos! Mas tinham um grande Deus, que prometera firmemente que lhes daria a terra prometida. Essa promessa bastou para que o coração deles se enchesse de confiança.

Quando o medo domina, torna-se cruel. Ele paralisa, gera angústia, rouba o sono, tira a paz, traz transtornos de ansiedade, produz pânico, leva ao terror, provoca aversão ou conduz à hostilidade. De fato, vivíamos em uma sociedade muito amedrontada. Alguns estudiosos já tinham catalogado mais de quatrocentos diferentes tipos de fobias. Na Bíblia, inclusive, a palavra *medo* aparece 563 vezes e *terror,* 116 vezes, o que indica que o assunto sempre esteve presente na história da natureza humana.

Onde há medo não há confiança, segurança, alegria, fé. Nos céus, quando as pessoas são libertas por completo do medo, fica muito claro que jamais se deve temer a morte, pois ela foi vencida por Cristo, assim como também fica evidente que não se deve temer as pessoas, pois estão debaixo da autoridade do Senhor, nem as más notícias, pois estão sob a soberania do Altíssimo. Nas regiões celestiais, canta-se com plena convicção: *se o Senhor é por nós, quem será contra nós?*

No céu, não há como não perceber a densidade do grande amor de Cristo, o que arranca todo medo dos corações. O Senhor sempre disse, mas nem sempre ouvimos, que não devemos temer, pois ele é conosco, ele é nosso Deus, que nos fortalece, ajuda e sustenta. Ele sempre esteve presente. Ele é nosso Deus. Ele faz coisas poderosas a nosso favor. Sempre pudemos dizer o que aqui se canta a plenos pulmões: nada temerei!

Procura-se a noiva

Ele era conhecido e respeitado por todos, especialmente pelo pai da fé, Abraão. Todo o céu parecia esperar chegar a vez de ele contar a extraordinária experiência de como fora usado por Deus para identificar quem seria a esposa de Isaque, o filho da promessa. Todos estavam atentos e ávidos. Logo o conhecido servo de Abraão começou sua história.

— Eu estava me preparando para minha rotina de trabalho quando recebi o recado de que meu Senhor gostaria de falar comigo. Assim que entrei em seus aposentos, percebi que o assunto era de suma importância. Havia um peso no ar, algo inexplicável. Isaque, seu filho tão amado, o filho da promessa, estava em idade de se casar. Abraão entendia que era vontade de Deus que fosse com uma mulher do mesmo povo, alguém da mesma linhagem. Por isso, ele queria que eu fosse à terra de sua parentela para trazer uma esposa para Isaque. Abraão tinha certeza de que aquele que enviou o filho também enviaria a esposa, de alguma forma. A promessa era para o filho e a noiva dele. Interessante, não é, se pensarmos que o filho unigênito da promessa, Isaque, representava Jesus, e sua noiva representava o povo escolhido, ou seja, todos nós!

Naquele momento, o servo de Abraão fez uma breve pausa e olhou serenamente para todos que o ouviam com atenção. Enquanto o olhar dele percorria todos nós, houve um bafejo da presença do Espírito Santo, que trouxe consigo profundo regozijo na verdade de que, desde as histórias mais remotas conhecidas pela humanidade, lá estava estampada a providência do amor de Deus pelo seu povo. O que esteve encoberto, agora era desvelado. Deus sempre nos amou! Muito antes de virmos à existência, já tínhamos nascido em seu coração cheio de graça e misericórdia. Aquele regozijo crescia a cada momento nos céus. Tínhamos uma sensação constante e progressiva de quanto Deus nos ama. Após um tempo de grande contentamento e prazer, a narrativa continuou.

— Fui invadido pela mesma fé e, com confiança, coragem e determinação, aceitei o desafio. Coloquei as mãos debaixo da coxa de meu senhor e fiz o juramento conforme aquela palavra de Abraão. Apesar do temor pela nova situação que viveria, havia em meu íntimo um sentimento de satisfação plena. Comecei a elaborar os planos para a jornada. Estávamos em Hebrom e deveríamos chegar à Mesopotâmia, mais especificamente a Harã. Seriam cerca de 35 dias de viagem. Enfim, eu e minha comitiva chegamos ao local predeterminado. Durante a jornada, tive tempo suficiente para pensar em como procurar a mulher. As mulheres costumavam sair ao final da tarde, quando o sol é mais ameno, para buscar água. Logo, o poço no final da tarde seria o local e a hora mais apropriados para achar a esposa de Isaque. Fiz os camelos se ajoelharem junto ao poço que ficava fora da cidade e pus-me em oração. Clamei ao Deus de Abraão para que fizesse prosperar o meu dia e que fosse bondoso com meu Senhor. Pedi um sinal para que eu tivesse a confirmação da moça escolhida. Aquela que me desse água do seu cântaro depois que eu pedisse e se oferecesse também para dar água aos camelos, essa seria a mulher que eu conduziria a Isaque.

Aquele homem, então, relatou como uma linda moça caminhou na direção dele, desceu até a fonte, encheu o cântaro e voltou. Apesar da emoção que sentia, ele conseguiu conversar com ela. A cena foi incrível. Rebeca prontamente tirou o cântaro do ombro e serviu água ao servo de Abraão. A primeira parte da oração estava sendo respondida. O mais difícil estava por acontecer. Em silêncio, ele aguardou a oferta dela para dar de beber aos camelos. Valeu a espera, pois logo a moça lhe disse que também tiraria água para saciar os animais.

— Fiquei calado, observando atentamente, para saber se o Senhor tinha coroado de êxito a minha missão. Por dentro, eu agradecia profundamente por ter feito a segunda parte da oração. Sabia que, se tivesse pedido água à moça apenas para mim, eu ficaria em dúvida. A maioria das mulheres faria esse favor. Mas, oferecer-se para saciar a sede dos camelos, só mesmo se ela fosse movida por Deus. Quando todos os camelos foram saciados, pude ter a certeza vinda do alto de que essa era verdadeiramente a moça que eu estava procurando.

A história continuou como bem descrito no relato de Gênesis: aquele homem procurou a família de Rebeca, apresentou-se a Labão, irmão da moça, e explicou a todos o propósito de sua viagem e tudo o que ocorrera.

— Quando terminei de contar como Deus havia feito prosperar minha missão, todos nos alegramos. Embora eles quisessem que eu ficasse mais alguns dias para festejar, fui determinado a cumprir minha missão, que só foi completada no dia em que voltamos de viagem e Isaque casou-se com Rebeca. Louvado seja o Deus altíssimo, que me fez experimentar o privilégio de ser guiado pelo seu Espírito em um momento tão relevante na história do seu povo. Não há sensação melhor na vida do que cumprir a missão de Deus para nós na terra. Carregamos isso para a eternidade. Ao Senhor, portanto, seja toda a glória e honra para sempre!

A noiva encontrou seu noivo. A promessa se cumpriu. A história se fechou. Aplaudimos de pé aquele lindo ato, e nos unimos em louvor, para adorar o Senhor que rege a história da humanidade em prol dos que ama, em favor da sua família, para cumprir seus desígnios e completar sua vontade.

Arco-íris

Depois desses acontecimentos, ouvi uma voz, como de trombeta, me chamar.

— Sobe até aqui.

Imediatamente, me vi tomado pelo Espírito. Diante de mim estava um trono e nele havia alguém sentado. Aquele, pois, que estava sentado, tinha a fisionomia semelhante às pedras lapidadas de diamante e sardônio. Ao redor do trono, reluzia um arco-íris que parecia feito de esmeralda.

Fixei o olhar em toda a riqueza diante dos meus olhos. Notei que parecia um trono feito de safira, onde estava sentado alguém que parecia ser um homem, e que brilhava como se fosse bronze no meio do fogo. Todo ele brilhava com o mesmo clarão de fogo. E a sua luz tinha todas as cores do arco-íris nas nuvens. Essa era a luz brilhante que mostra a presença da glória do Senhor.

As cores não eram opacas, nem pareciam embaçadas. Todas as cores do arco-íris eram nítidas e brilhantes. Não era um meio arco, daquele que só se vê um pequeno pedaço; podia-se vê-lo por inteiro, completo. Do lado externo brilhava o vermelho, seguido das cores laranja, amarela, verde, azul e anil, até alcançar o lado interno com o violeta. Meus olhos ficaram embriagados com a beleza das sete cores, que pareciam sair do ar. Eu, que já estava acostumado com o arco-íris da terra, tão maravilhoso, fiquei encantado pela continuidade dele nos céus. Fui surpreendido pelo sorriso contagiante de Jesus quando se aproximou para falar comigo:

— Para toda a eternidade teremos o arco-íris diante dos nossos olhos. O Pai o estabeleceu como sinal da nossa fidelidade e de nosso amor por vocês desde os primórdios da história da humanidade. Este é o sinal da nossa aliança feita com vocês e entre todos os seres viventes que estão com vocês, para perpétuas gerações. O arco colocado sobre as nuvens está ao redor do meu trono para sempre. Alegre-se, pois não há nada que poderá quebrar a aliança que fiz com meu povo.

O arco-íris é símbolo da fidelidade, imagem da esperança, emblema da misericórdia, bandeira da graça, estandarte da compaixão de Deus por nós. É símbolo do arco de Deus que cobre todo o horizonte para nos proteger. Nenhum vento pode soprá-lo, nem nada pode ser capaz de desligá-lo. É o amor de Deus arqueado sobre seu povo e marca o fim dos sofrimentos causados pelas tempestades da vida terrena. Depois da tempestade da vida, tenha certeza, brilhará o Sol da justiça e, com ele, o sinal do arco-íris, como memorial sem fim.

Sobre o autor

Rodolfo Montosa é pastor, compositor, escritor e empresário. Escreveu os livros *Quem sou em Cristo?*, *Intimidade com Deus* e *Cuidando e sendo cuidado,* além dos devocionários para períodos de reflexão, oração e jejum, *Mantendo a chama acesa, Por esta causa me ponho de joelhos, Distância zero* (coautor) *e Caminho da felicidade: uma reflexão sobre as bem-aventuranças bíblicas.* É pastor da Primeira Igreja Presbiteriana Independente de Londrina (PR), fundador e articulista do Instituto Jetro (www.institutojetro.com), cooperador de diversas instituições de ação social e missionárias. É marido de Cibele e pai de Ana Beatriz, Gustavo e Giovana.

Compartilhe suas impressões de leitura escrevendo para:
opiniao-do-leitor@mundocristao.com.br
Acesse nosso *site*: www.mundocristao.com.br

Equipe MC:	Maurício Zágari (editor)
	Fernanda Rosa
	Heda Lopes
	Natália Custódio
Preparação:	Amanda Moura
Revisão:	Josemar de Souza Pinto
Diagramação:	Triall Editorial Ltda.
Gráfica:	Imprensa da Fé
Fonte:	Georgia
Papel:	Lux Cream 70 g/m² (miolo)
	Cartão 250 g/m² (capa)